예·알·못 원장의 늦깎이 예술 입문기

예술과 1센티 가까워지기

글 김위아

대｜경｜북스

예술과 1센티 가까워지기

1판 1쇄 인쇄 2023년 7월 10일
1판 1쇄 발행 2023년 7월 14일

발행인 김영대
펴낸 곳 대경북스
등록번호 제 1-1003호
주소 서울시 강동구 천중로42길 45(길동 379-15) 2F
전화 (02)485-1988, 485-2586~87
팩스 (02)485-1488
홈페이지 http://www.dkbooks.co.kr
e-mail dkbooks@chol.com

ISBN 978-89-5676-979-0

오늘, 예술 한 잔 어때요?

예술이야~!

예술은 명사지만, 감탄사라고 부를래요. 국어사전을 보면요. 예술의 또 다른 의미가 있어요.

'외모, 맛 따위가 매우 높은 수준에 있음을 비유적으로 이르는 말'

원래 뜻보단 이런 상황에서 많이 쓰죠.

"와…. 오늘 날씨 끝내주네, 예술이야."

"이 집 커피 맛 예술인데!"

"어머머… 너 오늘 화장발 잘 받았다. 피부 완전 예술이다!"

"초록 물감으로 칠한 거 같아. 바다색 예술이네."

"저 사람 말 진짜 잘 하지 않냐? 예술이야!"

외모가 출중한 사람을 볼 때, 눈부시게 화창한 봄날에, 입에 딱 맞는 음식을 먹을 때, 에메랄드빛 바다를 볼 때, 강연·노래·연기·글에 감동했을 때, 우리는 말합니다.

"카아~~ 예술이다!"

예술은 나와 거리가 멀어! 이렇게 생각하는 분 많죠. 입버릇처럼 튀어나오는 것도 '예술'입니다. 다가가기엔 먼, 알고 보면 가까운 그 정체, 파헤쳐 볼까요?

글을 쓰려니, 평상시 궁금하지 않았던 게 궁금했습니다.

예술의 범위는 어디까지야?

음악 작품, 미술 작품처럼 실체가 있는 것만 예술일까?

영화와 문학도 예술 장르에 포함될까. 그러면 원고 분량 채우기 좀 쉬울 텐데….

시는 언어 예술이라고 하니까, 당연히 문학도 그렇겠지?

예술의 정의와 범위를 간단히 정리하면요.

첫째, 아름다움을 목표로 하는 활동입니다.

둘째, 음악, 미술, 문학, 무용 등으로 구성되어 있습니다.

셋째, art는 넓은 의미에서는 예술, 좁은 의미에서는 미술을 뜻합니다.

문학도 당당히 예술의 범위에 들어가 있었어요.

하나를 알고 나니 더 알고 싶어지더라고요? 나무위키(namu.wiki)에 들어갔습니다. 검색창에 예술을 입력했습니다. 빽빽한 글 속에서 눈에 띄는 구절을 만났어요.

무엇이 예술인가?

절대적인 기준이 없다.

아하! 저처럼 경계를 궁금해하는 이가 많았나 보죠? 절대 기준이 없는데, 범위가 어디까지인지 밝히고 싶었습니다. 제대로 전달해야 하니까요. 프랑스에서는 예술 장르를 열 가지로 구분해요.

건축, 조각, 회화, 음악, 문학, 무용(연극), 영화, 사진(TV, 라디오), 만화, 게임.

만화와 게임도? 범위가 생각보다 넓었습니다. 요즘은 스포츠나 요리도 예술 분야로 본다고 해요.

'일상이 예술'이라는 말이 괜한 말은 아니었지요?

발길 닿는 곳마다 예술이 있어요. 지하철 광고판에서 만난 모네의 〈양산을 든 여인〉, 드라마 〈스카이 캐슬〉에서 입시 코디네이터 김주영의 테마곡은 슈베르트의 〈마왕〉, 커피숍 벽에 걸려 있는 고흐의 〈해바라기〉, 병원 휴게실에서 본 이인성의 〈노란 옷을 입은 여인〉, 버스정류장에서 읽은 초등학생의 동시 〈어른들은 몰라요〉.

이런 것들이 갑자기 생겼을까요?

아니요! 원래… 그 자리에 있었습니다. 알아채지 못했을 뿐이에요. 예술을 만난 이후로 다시 보니 그제야 보이더라고요. 관심을 가지니 보였고, 보이니 즐거웠습니다. 즐거우니 눈길 닿는 곳마다, 찾게 되었습니다. 무심코 지나쳤던 사물이 의미 있게 다가왔어요. 일상에서 만나는 예술 덕분에 재미를 헤프게 느꼈습니다.

겨우 1년 남짓한 예술 체험으로 행복 운운하니, 갸우뚱하신 분도 있죠?

그래서! 니체의 말을 빌리겠습니다.

'우리의 삶을 충만하게 하는 것은 예술뿐이다.'

어때요? 솔깃해지지 않나요? 관심 좀 가져볼까 하는 마음이 살짝 드셨을까요?

제가 경험했던 일상 속 예술을 보여드리고 싶어요. 혼자서 행복의 지름길로 가고 싶지는 않거든요. 우리 주변에 있는 예술을 발견할 수 있게 가이드가 되어 드릴게요. 니체의 말을 경험해 보세요.

매일 커피 한잔하듯, 예술 한 잔 곁에 두길 바라면서….

예술 입문인을 위한

왕초보 방구석 아티스트

위아

차 례

제5장 당신도 이미 예술가입니다

제1장
인생을 이렇게 끝낼 순 없지

내 행복은 내가 선택해

가장 어두운 밤도 언젠가 끝나고 해는 떠오를 것이다. (고흐)

혹시… 그거 아세요?

'~입니다'보다 '~일 것 같아요'가 심장을 더 오그라들게 한다는 거요. 의사한테 들었을 때, 심장이 멈추는 줄 알았습니다. 머릿속이 하얘졌어요. 휘청거리는 다리에 의지해서 진료실을 나왔습니다.

암 걸릴 확률은 5%라던데…, 아닐 거야.

얼마나 착하게 살았는데, 벌을 주겠어?

'희망 고문'이라고 하죠. 때론 코믹한 상황에서 쓰던 단어가, 내게

왔을 때 알았어요. 얼마나 지독한지를. '암입니다'보다 '암일 것 같다'에 잠 못 이뤘습니다.

병은 착하게 사는 거랑 상관없었습니다. 나이도 가리지 않았습니다. 암이란 녀석, 양심이 없습니다. 아무리 생각해도 그렇습니다. 뭘 그리 잘못했길래…. 하나도 충격인데 둘이나 찾아왔습니다. 적어도 착하게 열심히 사는 사람에겐 오지 말아야죠. 기부도 많이 했거든요!

뭘 해야 할지, 어디에 마음 둬야 할지 몰랐습니다. 직장에선 애써 아무 일 없는 척했습니다. 대표니까요. 퇴근하면 공포에 떨며 넋을 놓았습니다. 장애와 질병을 극복한 사람이 나오는 책만 붙잡았습니다. 이지성의 《꿈꾸는 다락방》을 달달 외울 정도로 읽었습니다. 건강한 모습을 생생하게 그렸습니다. 의사에게 매일 물었어요. 진료 시간 외에는 대답 들을 리 없어서, 벽 보고 실성한 사람처럼 말했습니다.

"내일 웃을 수 있을까요? 설마 암은 아니겠죠? 벌써 암 걸릴 나이는 아니잖아요."

어디서부터 잘못된 걸까요. 과거로 올라가 캐고 또 캤습니다. 사춘기 때 잘 못 먹어서 면역력이 떨어졌을까. 중학교 때 양호 선생님이 병원 가보라고 했었잖아. 스물한 살 때 헌혈의 집에서 헌혈하면 안 된다고 했었는데…. 가족력도 있잖아.

스트레스받은 사건과 나를 힘들게 했던 사람이 한 명 한 명 떠올랐습니다. 꼬리에 꼬리를 문 생각이 떨치지 않았습니다.

검사는, 검사를 불러왔습니다. 진료일 기다리고, 결과 듣고, 다른 검사 예약하고. 도돌이표였습니다. 최종 결과를 들었습니다. 의사는 위로와 함께 치료 절차와 수술 날짜를 알려주었습니다.

사람 마음이 희한합니다. 확진 받기 전 6개월 정도는요. 먹지도 잠들지도 못했습니다. 결과 듣고선, 의외로 덤덤했어요. 그날, 병원에서 나와 뭐 했는지 아세요? 스테이크 먹으러 갔습니다. 최상급으로 주문했어요.

'잠을 그렇게 못 자는데…, 몸이 상했을 거야.'

몸에게 미안했습니다. 확진 받은 그날, 잘 먹는 게 나를 위해 할 수 있는 전부였습니다. 어차피 결과는 정해져 있었는데 왜 그리 가슴 졸였을까요. 바보같이….

믿기지 않아 멍하게 있다가, 현실을 거부하다가, 원망하다가, 사실을 인정하고, 냉정을 되찾았습니다. 그리고 암과의 동행을 공식적으로(?) 받아들였습니다.

암 환자는 웃을 일이 없을 줄 알았습니다. 아니요! 고비만 넘기면, 또 살아가게 되었습니다. 변기를 붙잡고 구토했어요. 병실 바닥을 기어다녔습니다. 인간의 한계를 경험했던 그 순간이 지나면, 더 크게 웃었습니다. 밥 먹고, 걷고, 이야기하는 모든 것이 감사했거든요.

어떻게 살아갈 거야?

답을 알려 준 건 병원에서 만난 사람들이었습니다. 건강할 땐 몰랐습니다. 이렇게 아픈 사람이 많은 줄은. 저보다 힘든 치료를 견딘 이들이 위로와 희망을 주었습니다.

"암 걸리면 다 죽는 줄 알았어요. 그렇지 않으니까 걱정하지 말아요. 나 봐요. 멀쩡하잖아요. 치료가 독해서 죽는 게 아니고 힘이 없어서 견디질 못한 거예요. 밥 잘 챙겨 먹고 운동하면 암… 그거 아무것도 아니에요. 병에 끌려다닐 필요 없어요. 마음 굳게 먹으면 병도 도망가요. 우리 행복은 우리가 챙겨요."

경험이 말했습니다.

우선순위를 정하세요.

행복은, 남이 주는 게 아니라 내가 선택하는 거예요.

우선순위를 뒤집다

아름다움은 인식되는 곳에 있다. (헨리 데이빗 소로)

질병, 사고, 가까운 사람의 죽음은 인생의 관점을 달라지게 합니다. 미래를 위해 현재를 희생하지 않아요. 현재, 오늘, 순간에 가치를 둡니다. 삶의 최우선 순위는 일과 성공이었어요. 성취감이 어떤 것보다 달콤했습니다. 소소한 행복을 몰랐어요. 필요성도 못 느꼈고요. 잃고 나서야 소중함을 안다고 하죠.

봄날 거리를 활보하며 꽃구경하고,

여름날 계곡에 발 담그고,

가을날 야외 커피숍에서 책 읽고,

하얀 겨울에 눈을 만져 볼 수 있는 것.

있는 듯 없는 듯 사라진 하루가 그리워서 심장이 얼얼했습니다. 요즘도 길가 화단에 핀 꽃을 보거나, 커피 한 잔 테이크아웃 해서 마실 때 문득문득 눈물이 차오릅니다.

다시 찾아 행복해서…. 그리고 언제 또 뺏길지 몰라서.

2010년에 TV를 없앴습니다. 처음 암 진단을 받은 이후, 1분 1초도 허투루 보내기 싫었습니다. 시간 싸움을 해야 할 때 필요한 건 '우선순위 정하기'입니다. 남길 것과 버릴 것. 하지 말아야 할 것과 해야 할 것. 정리가 필요했어요. 소중한 것을 위해 시간적, 금전적, 물리적, 심리적인 공간을 확보했습니다. 물건 이외에도 인간관계, 업무에도 미니멀리즘을 장착했습니다. 남에게 보여주는 삶에서 내가 만족하는 삶으로 채워나갔어요.

성공 욕구가 강했습니다. 열두 살 때, 아버지 사업 부도로 가족과 헤어졌습니다. 고3까지 친척 집에서 살았습니다. 먹고 싶은 거 못 먹고, 사고 싶은 거 못 샀어요. 벗어나고 싶었습니다. 중학교 때부터 제 목표는 성공이었어요. 서울 브랜드 아파트와 비싼 차는 필수였습니다. 뭐든 최고급이어야 했습니다.

돈 잘 버는 젊은 학원장이라는 조건이 병실에선 통하지 않았어요. 환자복을 입어야 하고, 머리카락은 한 움큼씩 빠지고, 매니큐어는 바르지 못했죠. 머리부터 발끝까지 각종 검사를 받을 땐 사람인가 마루타인가, 수치스러웠습니다. 온갖 주사를 맞고 약을 먹을 땐 실험용 쥐가 된 기분이었어요. 외적인 당당함이 사라지고서야, 마음을 들여다봤어요. 인생에서 필요한 게 뭔지 자문자답했죠. 또렷하게 답해줬습니다. 제 마음이요.

'멈추는 거야.'

¶ 숨은 그림 찾기

뭐든 빨랐습니다. 초등학교를 일곱 살에 들어갔습니다. 걸음걸이와 행동이 재빨랐습니다. 배우는 속도도 LTE급이었고, 결단도 초스피드였습니다. 학원 창업도 20대 초반에 이뤘습니다.

'빨리빨리'가 통하지 않는 곳이 병원이었습니다. 링거병을 달고 다녔습니다. 팔을 앞뒤로 신나게 흔들면 큰일 나죠. 화장실이 급해도 느릿느릿 걸어야 했고요. 때가 되어야 밥을 먹고, 의사를 만나고, 검사를 받습니다. 토끼로만 살았는데, 거북이가 되었습니다.

엉금엉금 움직였습니다. 그제야 보였습니다. 병원 곳곳엔 풍경화, 인물화, 정물화 액자가 걸려 있었습니다. 수십 개나 되던데 전에는 왜 몰랐을까요? 작가가 누군지, 제목이 뭔지, 제작 연도는 언제인지. 가까이서도 보고 멀찌감치 떨어져서도 봤습니다. 한 번 관심을 가졌더니, 자꾸만 눈이 갔습니다. 병원에서 그림 찾기를 했습니다. 무료한 시간을 때우기 위한 나름의 놀이였어요.

책 쓰며 알았습니다. '어쩌면 예술의 씨앗이 이때부터 뿌려졌겠구나.'

어떤 위로

위대한 예술은 구름 잡는 이야기이기는커녕, 삶의 가장 깊은 긴장과 불안에 해법을 제공하는 매체다. (매슈 아널드)

입원 생활은 때론 긴박했고, 때론 무료했습니다. 지루했던 어느 오후, 1층에 내려갔어요. 음악이 들렸습니다. 두리번거리며 소리가 선명해지는 쪽으로 걸어갔습니다. 건강·문화 프로그램을 위한 무대가 있었습니다. '행복한 음악회'라고 쓰인 현수막을 봤어요. 교복 입은 학생 일곱 명이 어깨에 바이올린을 얹고 눈을 아래로 내린 채 현을 켜고 있었습니다. 학원 아이들이 생각났습니다. 돌봐주어야 하는 대상이라고만 여겼어요. 그런데 어린 예술가들은 음악으로 아픈 어른을 위로하고 있었습니다.

'이 곡이 당신을 낫게 하면 좋겠어요.'

몇 분 서서 듣다가, 연주석과 가장 가까운 의자에 앉았습니다. 그 때 처음 알았습니다.

음악이 사람을 위로한다는 것을요.

영어와 언어학을 공부했습니다. 말과 글로써 명료하게 전달해야만 교감할 수 있다고 믿었어요. 뜬구름 잡는 것처럼 애매모호하고, 형체 가 불분명한 걸 싫어했습니다. 음악은 보이지 않아요. 잡히지도 않고 요. 미술은요? 형체는 있지만 도통 뭘 의미하는지 몰라요. 이런 것들 은 힘이 없다고 믿었어요. 30분 정도 앉아 있었나 봐요. 연주회가 끝 나서 "마지못해" 일어섰습니다. 연주곡이 계속 머릿속에 맴돌았습니 다. 곡을 찾아보고 싶은데, 알 리가 있나요. 그림이라면 사진이라도 찍어서 물어볼 텐데요.

'행복한 음악회'는 병원에서 마련한 힐링 프로그램이었어요. 입원 환자는 미술관과 음악회에 갈 수 없잖아요. 그래서 문화예술인을 초

청한 겁니다. 환자와 보호자가 정서적 안정을 찾도록 말이에요. 이번 주는 어떤 사람들이 올까. 내가 아는 곡도 있을까. 기다려졌습니다. 10대부터 60대까지 다양한 연령층의 예술 자원봉사자가 방문했습니다. 고마웠습니다.

음악의 본질을 환자가 돼서야 알았습니다.

'행복한 음악회'를 만난 게 2010년도 하반기였습니다. 인생에 예술이 필요하다는 걸 '어렴풋이' 느꼈습니다. 검사 결과 들으러 진료실 앞에 앉아 있으면 얼마나 긴장되는지 몰라요. 스마트 폰과 책을 봐도 눈에 들어오지 않아요. 그럴 때, 음악을 듣거나 병원 복도 그림을 보며 기분 전환을 했어요. 그렇게… 예술은 수년에 걸쳐 마음 깊숙이 자리 잡아갔나 봐요. 저도 모르는 사이에.

2019년 12월 말에 재발 우려에 대해 들었습니다. 10년간 마음 졸여서일까요. 올 게 온 거야? 담담했습니다. 우선순위에 대한 바람이 2010년보다 강렬했어요. 하고 싶었던 일 중 못했던 것이 두 가지 있었습니다.

책 쓰기와 예술 공부였습니다.

내 이름 적힌 책 한 권. 버킷 리스트 단골 메뉴죠. 2020년 2월에 책 쓰기 과정에 등록했습니다. 21년에 문화예술 독서 모임에 참가했고요. 같은 24시간이라도 의미 있게 살고 싶었어요. 예술이 행복에 한 발짝 다가갈 수 있게 해주리라 믿었습니다.

예술에는 그런 힘이 있거든요.

문화예술 독서 모임 〈심쿵책쿵〉

예술은 우리의 영혼을 일깨우고, 우리의 영혼을 성장시키는 데 도움을 준다. 마치 어미 새가 어린 새를 키우고 돌보는 것처럼. (괴테)

예술은 로망이었습니다. 로망은, 실현하고 싶은 소망이나 이상을 말하는데요. 딱 그랬습니다. 음악, 미술, 춤을 곁에 두는 일상, 근사해 보였어요. 없어도 사는 데 지장은 없지만, 있으면 삶의 질이 높아질 테니까요. 그런데 예술은요. 감성이 풍부하거나 타고난 재능이 있는 사람만 누리는 특권 같았어요. 어떻게 가까워지는지 몰라 주위에서 맴돌았습니다.

들러리에서 주인공이 될 기회가 왔습니다. 2020년 8월에 팟빵 (podbbang:개인 라디오 방송)을 개설했어요. 학원 경영과 책 관련 콘텐츠를 녹음해서 올렸고요. 다른 분들 것도 들었습니다. 공원에서 산책하며 팟빵을 켰는데요. 윤동주 〈별 헤는 밤〉이 흘러나오고 있었어요. 마침 가을밤이라서 그랬을까요? 걸음을 늦춰가며 귀 기울였습니다.

'와… 나랑 달라도 너무 다르네. 예술 감성 장난 아니네.'

부산 사투리로 시를 설명해 주던 그녀는 2021년 1월에 문화예술 독서 모임 〈심쿵책쿵〉을 오픈했습니다. 몇 달간 서성이다가 5월에 문을 두드렸습니다.

¶ '예술 즐기기' 출발

'뭘 아는 게 있어야지. 대화에 못 끼면 어쩌지?'

'전공자도 많을 텐데, 바보 되는 거 아니야?'

쭈뼛쭈뼛 참가했는데 얘기 들어주고 공감해 주는 사람이 없다면 적응하기 어려웠겠죠. 안 그래도 예술 앞에서는 쪼그라드는데 말이에요. 다행히, 저처럼 서성이다 참가한 멤버가 여럿이었어요. 혼자만의 고민이 아니었습니다. 이 사실이 어찌나 반갑던지요! 어릴 적 예술 경험담을 나누면서, 공감대가 부쩍 생겼습니다. 이야기는 이야기를 불러오고 추억도 되살아났습니다.

예술 없는 유년기를 보냈다고 생각했어요. 초등학교까지는 어느 정도 누렸더라고요. 부모님과 연극, 뮤지컬, 인형극을 보러 다녔어요. 중·고등학교에 진학하자, 미술과 음악은 변신했습니다. 놀이에서 공부로! 수업 시간이 짧아서 만날 기회가 적었죠. 심지어, 주요 과목만 시험 칠 때는 미술, 음악 시간에 시험공부 하라고 배려(?)해 준 선생님도 있었어요.

"작곡가와 곡 이름을 맞추려고 음악 테이프 들었잖아요."

우리 학교만 그랬던 건 아니었나 봐요.

"미술 작품 보고 화가 이름을 외웠고요."

그러고 보니, 작품을 감상하진 않았어요. 음… 저만 안 했나요? 인상주의인지 초현실주의인지 외웠습니다.

"중·고등학교 때는 예술 감성을 키우거나 계발할 환경이 아니었어요."

전공할 친구가 아니면, 예체능에 관심을 두기 어려웠습니다.

"우리가 예술을 즐기지 못하는 원인일지도 몰라요."

혼자였다면, 이런 생각과 경험담을 주고받을 일이 없었겠지요.

여고 동창생들이 모인 것처럼, 예술로 수다를 떨었습니다.

¶ **예술 습관 만들기**

뭐든 직접 해보는 걸 좋아해요. 두 달 차에 '예술 습관 만들기' 프로젝트를 시작했습니다. 쉽고 재밌는 콘텐츠 덕분에 예술에 흥미가 생겼어요. 2주간 열네 가지 주제로 과제 하면서, 예술 일기를 썼어요.

1. 내가 좋아하는 그림

2. 위키아트에서 마음에 드는 그림 고르기

3. 나와 닮은 예술가

4. 명화 속 비밀

5. 구글 아트 앤 컬처에서 나와 닮은 명화 속 인물 찾기

6. 좋아하는 색깔의 그림

7. 읽고 싶은 미술 관련 서적

8. 좋아하는 한국 화가

미션을 마치고, 소감을 남겼어요.

"과제가… 자기를 알아가는 과정 같아요. 누구를… 뭐를 좋아하는지 찾아가며 나를 들여다보게 되거든요."

네, 그랬습니다. 그저 예술이랑 '아주 조금만' 가까워졌으면 했어요. 그런데, 잃어버린 나를 찾았습니다. 예술 공부를 계속하고 싶은 이유입니다. 저는 소중하니까요.

과제 하는 매 순간이 나를 만나는 'Magical Moment'였습니다.

심쿵책쿵에서 딱 1년을 보낸 후, 초고를 완성했습니다. 글 쓰면서 단톡방 첫날에 남겼던 메시지를 다시 찾아봤어요.

"안녕하세요~^^ 김위아입니다. 초등학교 때 피아노 학원에서 〈엘리제를 위하여〉를 처음 만났는데요. 제일 좋아합니다. 잊고 있던 어릴 적 추억이 떠오르거든요. 일과 삶 속에 예술이 들어오면 행복이 몇 배 커지리라 생각합니다. 몰랐던 즐거움을 하나씩 발견하고 누리고 싶어요. 함께 할 수 있어서 설레고 좋습니다."

바란 대로 이루어졌습니다. 어릴 적 추억도 더 많이 캤습니다. 일상에 예술이 들어오면 행복이 몇 배 커진다는 걸 경험했고요. 주변에 있었지만, 인식하지 못해서 누리지 못했던 즐거움을 내 것으로 만들었어요.

괴테가 말한 '어미 새'는 독서 모임 리더와 멤버들이었어요. 특히, 《리딩 퍼포먼스》의 공저자인 리더 정상미 작가와 1기 멤버인 EJ선배는 예술을 먹고 자랄 수 있게 돌봐줬습니다. 글을 올리면 답글을 달아주고, 경험담을 나눠주고, 필요한 자료를 찾아줬어요. 이런 과정이 없었으면, 예술이랑은 여전히 서먹서먹했겠죠.

'예술이랑 1센티만큼만 가까워지기'

매일이 소중해

예술일기 14. 작품 세 개 픽(+ 종강 소감)

 학원CEO 김위아 작가
2021. 6. 13. 15:21   📊 통계   ⋮

'예술이랑 1센티만큼만 가까워지기'
2주 예술습관만들기에 참여한 이유다.
가볍게 시작했지만, 잔잔하고 깊은 울림이 가득했다.

나를 알아가고
내 주변을 돌아보고
작품 표현력의 한계도 느끼는
시간이었다.

생각보다 예술은 내 가까이 있었는데
발견하지 못했구나 싶다.
어떻게 친해져야 하는지 몰랐는데
그 방법을 알게되었다.

학생들에게
미술작품을 보고 영어로 묘사해보라는
과제를 종종 내줬다.
영어로 쓰고 말하기.

학원경영과 영어에 미친 자인 내 눈엔
예술도 그냥 영어실력향상의 도구였다.
이제는
이런 필터를 걷어내고
작품 대 나로 만나고 싶다.

❤️ 9 ··· 💬 8   ⌄

⌐ 🧑 **학원인 깡작가** 블로그주인   ⋮
학원 집만 왔다 갔다 하느라
온라인 세상을 잘 모르는데용~~^^
심쿵책쿵이랑 예술습관같은 플젝이
널리 알려졌음 좋겠어요~~
정말 삶의 가치를 높여 주더라구요!!
빈말 아닌거 아시쥬? ㅋㅋㅋ
개성 만점 음악가랑 데이트 할 생각에 설렘니당~^^
2021. 6. 13. 22:13

답글   ♡ 0

⌐ 🧑 **학원인 깡작가** 블로그주인   ⋮
심쿵책쿵도 예.습.도
선배님이 계셔서 더 즐거웠어요~~
소통의 맛, 나눠주셔서 고맙습니다~~^^

저도 저만의 예술 취향을 키워서
'전 이런 분위기가 좋아요.'
'왜냐면..이러러러 해서요'
이런 표현 자유로이 하고싶어요~^^
2021. 6. 13. 16:43

처음엔 가볍게 시작했지만,

나를 알아가고 주변을 돌아보

게 되었습니다. 1센티만큼 성

장하길 바랐는데, 10센티 쑤

욱 자랐습니다.

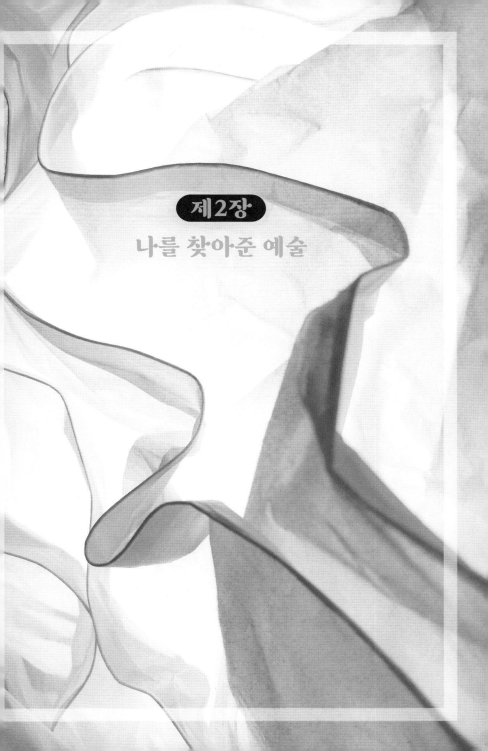

제2장
나를 찾아준 예술

행복의 필수 조건

예술만큼 세상으로부터 도피할 수 있는 것은 없다. 또한 예술
만큼 확실하게 세상과 이어주는 것도 없다. (괴테)

'예술에 대하여 긍정적인 태도를 지닌 사람일수록 행복하고, 건강
한 것으로 나타났다.'

서울대학교 행복연구센터에서 발표한 논문 내용입니다. 건강 정
보지 속 칼럼에서 찾았습니다. 예술 공부 전이었다면 '뭐… 그렇겠
지…!' 넘어갔을 거예요. 책 몇 권 읽었다고 호기심이 생겼습니다. 행
복과 건강에 영향을 끼쳤다는 걸 어떻게 실험했지? 작은 글씨를 읽
어 내려갔습니다.

연구팀은 20대 이상 한국인 500여 명을 대상으로 예술에 대한 태도와 평소 행복 수준을 측정했대요. 참가자의 혈액을 채취해서 다양한 건강지표를 계산했고요. 실험 결과는요. 예술을 향해 열린 마음을 지닌 사람일수록 행복 지수가 높았습니다. 건강지표도 좋았고요. 1년간의 경험이 없었더라면, 뻔한 결과라고 실망했을 거예요. 지금은 마음이 속삭여 줍니다.

'예술도 행복의 필수조건이야.'

¶ 예술이 밥 먹여줘?

그나저나 예술의 본질은 뭘까요? 본질은, 원래부터 가지고 있는 성질이나 모습을 말합니다. 어떤 성질을 가지고 있길래, 사람을 행복하게 하는 걸까요. '예술이 밥 먹여 주냐!' 생계와 직접 관련이 없어서 해도 그만, 안 해도 그만이었던 예술. 마흔 훌쩍 넘어서야 가치를 깨달았죠.

강은진은 《예술의 쓸모》에서, 예술을 아는 것이 모를 때보다 삶을 풍요롭게 만든다고 했습니다. 여섯 가지 가치를 지니고 있어서인데요. 아름다운 것을 보는 심미안, 감정을 위로하는 카타르시스, 새로운 걸 보게 돕는 감각의 확장, 인간이 가진 욕망의 이해, 본질적 가치인 창조력과 통찰력입니다. 심미안과 감각의 확장이 와 닿아요. 주변에서 아름다움을 발견하고, 원래 있던 것도 새롭게 생각하도록 도와줬거든요. 경험치가 쌓이면 창조력과 통찰력까지 얻겠지요!

지하철역, 도서관, 버스정류장, 병원, TV와 유튜브 속 작품은 누구에게나 열려 있습니다. 비싼 입장료를 내야 만나는 것만 예술은 아니거든요. 발길 닿는 곳마다 행복을 캐내어 보세요.

¶ 행복은 공짜가 아니야!

행복해지기 위해선, 예술도 배워야 했습니다. 왜, 저절로 알게 된다고 생각했을까요. 왜, 타고나야만 즐길 수 있다고 생각했을까요. 수영하는 법을 배우는 것처럼 예술도 책과 사람을 통해 익히고 연습해야 합니다. 가만히 있는데, 어느 날 갑자기 행복해지지 않습니다.

친구를 사귀는 과정과 같아요. 먼저 손 내밀고, 말 걸고 다가가야

친해집니다. 계속 노력해야 좋은 관계가 유지되지요. 예술도 마찬가지였습니다.

매달 예술 서적을 읽었습니다. 궁금한 게 있으면 검색했어요. 시대적 배경도 살펴봤습니다. 모르는 건 독서 모임 멤버에게 물었습니다. 서점 예술 코너에서 가장 오래 머물렀습니다. 내가 나에게 좋은 그림과 음악을 보여주고 들려줘야 합니다. 일상에서 나태주 〈풀꽃〉, 베토벤 〈미뉴에트〉, 세잔 〈사과와 오렌지〉를 만나는 노력이 필요해요.

예술은 그럴만한 가치가 있습니다. 행복의 필수 조건이니까요.
예술을 배우며 천천히 걸어가는 인생을 살고 싶습니다.

괴짜 효과

시간은 사용할 수 있는 누구에게나 충분히 길게 머문다.

(레오나르도 다 빈치)

괴짜 효과(oddball effect), 들어보셨나요?

뇌는 즐겁거나 새로운 경험을 하면, 같은 시간이라도 다르게 느낀 대요. 예술을 만나고 하루가 밀도 있어지고 알차졌거든요. 저만의 느 낌인가 했는데요. 이론으로 증명된 사실이래요. 새로운 걸 직접 해보 는 게 행복지수를 높여주는 거죠. '예술 습관 만들기' 하면서 괴짜 효 과를 경험했어요. 예술이 바로, 24시간을 48시간처럼 누릴 수 있는 마법의 열쇠였습니다.

그리스인은 시간 개념을 크로노스(Chronos)와 카이로스(Kairos)로 구분 짓습니다. 크로노스는 시계가 보여주는 바로 그 시간입니다. 카이로스는 주관적이고, 특별한 의미를 부여할 수 있는 시간입니다. 예술은 나만의 시계로 바꾸어 줬습니다.

제자 중에 피아노 선생님이 있습니다. 수강생의 30%가 성인이에요. 70대 수강생도 있습니다. 무기력해하던 직장인, 주부, 은퇴자가 피아노를 배우면서 활기를 찾아간다고 합니다. 감성에는 노화가 없습니다. 어느 연령대에 있던지, 건반 누르며 행복을 찾을 수 있어요. 성인이 돼서 배우는 피아노는 누가 시켜서 하는 게 아닐 거예요. 경쟁을 위한 건 더더욱 아니고요. 우리는 최고의 예술가는 아닙니다. 하지만, 예술이 주는 새로움으로 하루를 밀도 있게 살아가는 내 삶의 온리원 예술가입니다.

치열하게 사는 걸 좋아합니다. 고무처럼 쫀쫀한 일상을 보낸 후 맞는 휴식이 달콤해요. 일이 벅찰 땐 시간이 설렁설렁 남으면 행복할 줄 알았습니다. 계획 있는 쉼은 충만했고, 어영부영 보낸 시간은 허탈했습니다. 일상을 두 배로 가치있게 사는 법이 있습니다. 하루를 무엇으로 채울지 고민하는 분에게, 예술을 권해요.

몰라봐서 미안해요, 앙리 마티스

내가 꿈꾸는 그림은 안락의자처럼 편안하게 머리를 눕힐 수 있는 작품이다. (앙리 마티스)

SNS와 친하지 않습니다. 필요할 때만 이용해요. 그래서 '예술 습관 만들기' 과제 하면서 놀랐어요. 세상에 별별 앱이 다 있더라고요. 예술 관련 앱도 다양했어요. 나와 성향이 닮은 아티스트를 찾아 주는 것도 있었죠. 사이트에 접속해서 몇 가지 질문에 답했어요. 마지막 페이지에 도달하니, '앙리 마티스'를 보여줬어요. 처음 들었어요. 아니면 듣긴 했는데 관심이 없어서 인지를 못 했거나요. 저한테는 무명 화가였습니다. 그냥 경차 '마티즈'가 생각났어요.

나와 닮은 예술가는 누구일까? by 널 위한
문화예술

answer.moaform.com

‘누구지? 누군데 내 성격이랑 닮았대! 고흐나 피카소처럼 유명한
화가면 좋을 텐데….’

아… 얼굴 화끈거립니다. 위대한 화가였습니다. 확고한 스타일로
많은 예술가에게 영감을 주었어요. 20세기 가장 영향력 있는 화가로
손꼽힙니다. 다음은 앱에 나온 앙리 마티스 소개글입니다.

‘세상에 대한 깊은 관찰력과 호기심을 가진 당신! 야수파의 거장 앙
리 마티스’를 닮았군요? 앙리 마티스는 2번의 세계 대전 속 격전지 프랑
스에 살았음에도, 삶의 ‘행복’을 떠올렸습니다. 모두가 우울함에 빠진 시

기, 마티스는 자연 속에 깃든 행복과 즐거움을 발견하고 연구하며 이를 작품 속에 담았죠.' 남들이 보지 못하는 시선으로 일상에서 새로운 가치를 발견하는 것은 당신의 재능! 깊은 관찰과 분석을 통한 남들과 다른 통찰력은 당신이 삶을 살아가는 강한 원동력이 되기도 합니다. 자신만의 가치관이 확실한 당신은 때로 대부분의 사람들이 따르는 의견과 부딪히곤 합니다. 그런 상황 속에선 종종 논리적인 반박보다, 상대방의 감정을 이해하고 감성을 건드리는 소통을 시도해 보는 건 어떨까요? 당신은 앙리 마티스를 닮았습니다.

당신과 닮은 예술가는 바로...

앙리 마티스

"우리는 어떻게 하늘에서, 나무에서, 꽃 속에서 즐거움을 발견할 수 있는지 배워야 한다."

나랑 닮은 예술가라니, 한 자 한 자 유심히 읽었습니다. 공통점이 여러 개였습니다.

첫째, 세상에 대한 호기심이 많다.

둘째, 어려움 속에서도 행복과 기쁨을 발견한다.

셋째, 일상에서 새로운 가치를 발견한다.

넷째, 나만의 확실한 가치관이 있다.

저는 감성보다 논리가 앞섭니다. 때론 단점이 되죠. '논리적인 반박보다, 상대 감정을 이해하고 감성을 건드리는 소통을 시도해 보는 건 어떨까요?' 마지막 글이 예사롭게 않았어요.

감성 소통을 위해서라도 예술을 가까이해야겠지요? 앙리 마티스, 안면 트고 나니 계속 보였습니다.

¶ 행복을 찾아서

야수파 창시자

선과 색의 연금술사

행복의 화가

앙리 마티스를 표현하는 단어예요. 행복을 찾으려고 예술이랑 친해지기로 마음먹었는데요. 닮은 꼴 화가가 '행복의 화가'라는 수식어를 가진 앙리 마티스라니요. 운명이구나 싶었죠. 뭐든 생각하기 나름인가 봅니다. '무명'에서 '운명' 화가로 바뀌는 거, 한순간입니다.

마티스는 법학도였어요. 변호사 자격을 얻은 후, 법률 사무소에서 일했습니다. 그때 맹장염에 걸렸어요. 지금이야 심각한 질병이 아니지만, 당시에는 치료를 오래 받아야 했대요. 병원에서 무료해하는 그에게, 어머니는 미술 용품을 건넸습니다. 마티스는 그림을 그리면서, 화가가 자신의 길이라는 걸 알게 됐죠.

1900년대 유럽은 혼란스러웠어요. 제1차, 2차 세계대전이 일어났습니다. 히틀러의 세력은 세상을 집어삼킬 듯했죠. 히틀러에 대해 새롭게 알게 된 사실이 있어요. 그가 화가를 꿈꾸었다는 거, 혹시 아셨나요? 꿈이 좌절되자, 예술가를 증오했대요. 나치는 예술가 블랙리스트를 만들어 화가들을 탄압했습니다. 마티스의 부인과 딸은 고문으로 사망했죠. 많은 예술가가 미국으로 탈출했지만, 마티스는 고국인 프랑스를 떠나지 않았습니다. 도망자가 되고 싶지 않았거든요.

'행복의 화가'인 마티스는 전쟁 속에서도 그림으로 희망을 주려 했어요. 전쟁에 맞서는 그의 방식이었습니다. 병마와 싸우면서도 예술을 손에서 놓지 않았어요. 대장암에 걸려 수술 후유증으로 유화를 그릴 수 없게 되었는데요. 붓과 물감을 사용할 수 없게 되자, 붓 대신 가위를 들었습니다.

〈한 다발〉은 마티스의 대표작입니다. 병상에서 색종이를 오려서 컷아웃 작품을 만들었습니다. 색과 형태를 만지고 만들 수 있어서 매료

됐습니다. 가위로 고유한 작품 세계를 개척했어요. 인테리어 소품에서 종종 보던 그림이 바로 마티스 것이었어요. 사랑받는 데는 다 이유가 있지요?

'나랑 닮은 꼴 찾기'에서 만난 앙리 마티스. 예술이 가져다준 큰 선물입니다. 그는 주변 상황이 암울해도, 개인사가 평탄치 않아도, 희망을 잃지 않았습니다. 강렬한 색감과 생기 넘치는 작품이 많습니다. 앙리 마티스는 자신의 그림이 안락의자처럼 휴식이 되길 바랐어요. 《예술과 1센티 가까워지기》도 그랬으면 좋겠습니다.

앙리 마티스 탁상 달력(2023)
저자 스튜디오 유나
출판 유나
발매 2022.10.31.

Henri Matisse
저자 Muller, Markus
출판 Hirmer Verlag GmbH
발매 2017.11.15.

앙리 마티스
저자 폴크마 에서스
출판 마로니에북스
발매 2022.02.28.

[Classic Art Readers] Level 4: The Works...
저자 Garrett Byrne
출판 씨드러닝
발매 2023.07.03.

알캉을 아시나요?

자신이 하찮은 존재라는 생각 때문에 불안하다면, 세계라는 거대한 공간을 여행하라. 그것이 불가능하다면 예술 작품을 통해서 세상을 여행하라. (알랭 드 보통)

가사 없는 악기 연주곡은 그 곡이 그 곡처럼 들렸습니다. 작곡가와 작품을 연결 짓지 못했어요. 〈엘리제를 위하여〉 정도만 구분했습니다. 그 외에는 작곡가 따로! 곡 따로!였죠. '어… 어디서 많이 들어 봤는데….' '이거 CF BGM인데….' 딱 이만큼이었어요. 남들이 '이 곡 너무 좋아'라고 해도 아무 느낌 없었어요. 분위기에 휩쓸려 '어… 나도 나도…' 그랬어요.

작년 봄에 도저히 헷갈릴 수 없는 독특한 곡을 만났습니다. 처음 들었을 때 '너는 내 운명'이라는 걸 직감했죠.

이 음악의 작곡가는 샤를 발랑탱 알캉(Charles-Valentin Alkan)입니다. 발음이 쉽지 않죠. 프랑스의 피아니스트 겸 작곡가입니다. 네이버 View로 '알캉'을 검색하면 '알탕으로 검색하시겠습니까?'라는 제안이 나옵니다. 음… 알캉에게 굴욕입니다! 독서 모임 멤버들과도 한바탕 웃었습니다. 뭐, 이렇게 친해지는 거죠.

 알캉

통합 VIEW 이미지 지식iN 인플루언서 • • •

제안 ⑦ 알탕으로 검색하시겠습니까?

2021년 5월 독서 모임 첫 달 책이 손열음의 《하노버에서 온 편지》였습니다. 알캉을 거기서 처음 만났습니다. 알캉의 곡을 좋아하는 손열음의 스승이 이렇게 말했습니다.

샤를 발랑탱 알캉(1813-1888)

"어떤 사람들은 음악회장에서 꼭 어떤 숭고한 감동을 받아야만 가치 있다고 생각하지. 하지만 내 생각은 완전히 달라. 감탄스러운 기교에 얼굴을 찡그릴 사람은 한 명도 없어. 그 재미야말로 가장 원초적인 감동이 아니고 뭐겠니."

원초적인 감동은 도대체 뭐야? 곡이 어떻게 재밌다는 거야? 호기심 천국인 저는 확인해야 했습니다. 〈이솝의 잔치〉를 유튜브에서 찾아봤습니다. 첫눈에 반한다고 하죠. 첫 귀에 반했습니다. 듣는 순간, 온몸이 찌릿찌릿! 검은 드레스를 입고 피아노와 한 몸이 된 듯 연주하는 손열음 씨에게 시선을 고정했습니다. 무아지경(無我之境). 정신이 한 곳에 흠뻑 빠져서 스스로를 잊어버리고 있는 지경이라는 뜻이죠. 이 한자어가 절로 떠올랐습니다. 연주 장면 한 번 보세요. 끄덕끄덕하실 겁니다. 곡을 가지며 놀며 무대를 장악하는 카리스마가 방구석까지 느껴집니다. 덩달아 방구석 아티스트가 되는 기분을 흠뻑 느껴보세요.

왜 알캉에게 빠졌을까요? 저랑 닮았습니다. '재미'를 추구합니다. 특히 긴장감 있는 재미. 격렬하고 역동적인 분위기를 좋아합니다. 요가보단 줌바, 스피닝을 좋아합니다. 그래서 활화산 같은 알캉의 곡이 끌립니다.

¶ 알캉과 그의 음악가 친구들

알캉의 친구는 무려 쇼팽과 리스트입니다. 리스트는 누구야? 할 수 있지만 쇼팽은 초등학생도 알죠. 세 사람은 파리에서 활동한 이웃집 친구이자 라이벌입니다. 알캉은 19세기 낭만주의의 대표적인 비르투오소 피아니스트 중의 한 명입니다. 비르투오소(virtuoso)는 매우 뛰어난 연주 실력을 갖춘 대가. 즉 명인 연주자들을 일컫는 말입니다(지식백과). 알캉에게는 충분히 붙일 수 있는 이름이지요.

프란츠 리스트는 역사상 최강의 피아니스트입니다. 교육자, 성직자, 자선가로도 활동했고 말년에 쇼팽의 평전을 썼습니다. 쇼팽과 함께 낭만주의 음악에 큰 영향을 주었습니다. 185cm 키, 금발, 잘생긴 외모로도 유명했다고 해요. 로베르트 슈만이 〈음악 신보〉에 이런 글을 쓴 걸로 봐서는 팬들도 꽤나 많았을 것 같아요. "빈의 어느 유명 판화가가 했던 말이 기억난다. 리스트의 얼굴은 어떤 화가가 그리스 신의 모델로 삼을 만하다고 말했다."

알캉은 재능이 뛰어났지만, 쇼팽과 리스트에 비해 덜 알려졌습니다. 다 이유가 있었습니다. 쇼팽이 38세로 일찍 세상을 떠났습니다. 친구의 죽음으로, 삶의 의욕을 잃어서 30년간이나 은둔 생활을 했어요.

알캉에 대한 평은 극과 극이었다고 해요. '가장 놀라운 예술가'라고 평가한 작곡가가 있습니다. 독일의 자코모 마이어베어입니다. 반면에 슈만은 몇몇 작품에 대해서 '내용이 빈약하다'며 비판했습니다. 연주하기 어려운 테크닉과 곡의 분위기가 고상하지 않아서였습니다. 현대에 와서 많은 피아니스트가 연주하기 시작하며 재평가받고 있습니다.

¶ **알캉과 자존감**

산책할 때 팝송, 미드, 영어 음원을 주로 들었습니다. 2021년부터 피아노와 바이올린 연주곡도 듣습니다. 제 취향을 파악했어요. 어떤 장르 음악을 좋아하는지를 찾게 된 거죠.

"가장 좋아하는 피아노 연주곡이 뭐예요?"

"알캉 〈이솝의 잔치〉요."

내가 무엇을 좋아하는지 아는 것. 자존감이 높아지는 과정입니다.

예술과 자존감. 두 단어를 전혀 연결 짓지 못했습니다.

'나 공부'에는 여러 방법이 있어요. MBTI 검사, DISC 검사, 적성 검사, 컬러 리딩 등. 예술을 만나기 전까지 나를 알아가는 수단은 '검사'였습니다. 예술은 검사를 요구하지 않아요. 나를 들여다보기만 하면 돼요. 자존감을 원하시나요? 예술 한 잔 어때요?

자존감을 높여준 Alkan, Merci! (알캉, 고마워!)

우리도 예술인,
피터 드러커와 스티브 잡스

디자인은 어떻게 보이고 느껴지느냐의 문제만은 아닙니다. 디
자인은 어떻게 기능하느냐의 문제입니다. (스티브 잡스)

경영, 영어, 학원, 책. 사람. 콘텐츠. 좋아하는 단어입니다. 경영에
관심 있는 분들이라면, 피터 드러커를 잘 아실 거예요. 현대 경영학
의 창시자입니다. 그가 예술과 관련 있으리라고는 생각해 보지 않았
어요. 《매니지먼트》에서, 매니지먼트란 기술, 예술 그리고 과학의 융
합이라고 했을 때, 갸우뚱했습니다. '왜 예술이 들어가지?'

공부하면서 의문이 풀렸어요. 피터 드러커는 2011년도에 《붓의 노
래》라는 책을 출간했습니다. 부제목이 '일본화로 본 일본'인데요. 일

본화의 매력에 빠져 평생 관
련 작품을 모았다고 해요.

지인들이 "네 롤모델은 누
구야?" 물으면 주저 없이 "나
는 학원 경영계의 피터 드러
커가 될 거야." 소문내고 다
녔어요. 예술은, 잘 안다고
생각했던 롤모델도 더 깊이
알게 해줬습니다.

피터 드러커

Peter Ferdinand Drucker · 경영학자, 작가

전체 프로필 도서

프로필   →

출생   1909. 11. 19. 오스트리아
사망   2005. 11. 11.
사이트 공식홈페이지
작품   도서 172건

미국의 경영학자. 현대 경영학을 창시한 학자로 평가받으
며 경제적 제원을 잘 활용하고 관리하면 인간생활의 향상과
사회발전을 이룰 수 있다고 생각했다. 그... 더보기 두산백과

경영과 예술의 관계는 이론에 그치지 않았습니다. 비즈니스에 어
마어마한 영향을 주었습니다.

"기획은 논리로만 하는 게 아니다! 예술을 더할 때 세상에 없던 것
들이 탄생한다."

마스무라 다케시가 쓴《예술은 어떻게 비즈니스의 무기가 되는가》
의 표지 문구입니다. 2021년 이전이라면 눈길도 주지 않겠죠. '예
술이랑 비즈니스랑 무슨 상관이야?' 구시렁댔을 겁니다. 예술은 독창
성이 강해서, 다른 분야와는 물과 기름인 줄 알았습니다. 특히 비즈

니스하고는요. 이 조합 자체를 생각하지 않았습니다. 그런데 예술은 모든 학문, 배경지식과 연결되어 있고, 모든 지식의 근원이었어요.

저자는 미래를 살아가려면 '아트 씽킹'이 중요하다고 강조합니다. 논리만 필요할 것 같은 비즈니스 세상에 왜 예술이 필요할까요? 모두가 알 만한 유명 인사들의 사례가 실려 있었어요.

페이스북 창립자인 마크 저커버그와 애플의 스티브 잡스는 예술적 사고를 발휘해 혁신적인 비즈니스를 구축했습니다. 저커버그의 회사에는 직원이 그린 그림이 전시되어 있습니다. 회사는 직원의 예술 감성을 드러내는 공간이기도 합니다.

스티브 잡스가 하버드 대학을 중퇴했다는 사실은 잘 알려졌지요. 듣고 싶은 수업을 골라 청강했습니다. 수업 하나가 그에게 영감을 줬습니다. '캘리그래피'입니다. 영어의 '아름다움'과 그리스어의 '쓰기'가 합쳐진 단어입니다. 손으로 그린 문자라는 뜻으로 글씨를 아름답게 쓰는 기술을 뜻해요. 나만의 서체를 만드는 예술 분야입니다. 매킨토시를 설계할 때 결정적인 영향력을 발휘했습니다. 다채롭고 아름다운 폰트를 가진 컴퓨터가 등장했습니다.

세계적인 경영자들이 예술에 집착한 이유가 충분히 이해됐습니다.

사업가에게 필요한 능력이 '창조력, 창의력'인데요. 그 출발점이 예술이었습니다.

기술은 실무 능력을 키웁니다.

예술은 창조성을 키워 직관과 비전을 만듭니다.

과학은 체계적인 분석과 평가로 질서를 만듭니다.

세 가지가 균형을 이룰 때 경영은 성공합니다.

하루에도 수십 번 '선택'을 합니다. 대담한 척하지만, 방향 잃고 헤매지 않으려고 발버둥 칩니다. 대표가 허둥대는 꼴을 보일 수는 없잖아요. 해결 못 한 고민과 문제를 잔뜩 안고 지내기도 합니다. 어디로 갈지 앞이 보이지 않은 채로요. 이럴 때 예술가와 작품을 만나면 불안함이 수그러집니다.

'나와 비슷한 상황인데 이렇게 해결했구나!'

'이 또한 지나갈 거야!'

예술을 즐기다 보면 교육 사업가로서 새로운 시각과 통찰을 얻으리라 확신합니다.

위키아트와 구글 아트 앤 컬처를 탐험하다

나에 대해 알고 싶은 사람은 내 사진을 주의 깊게 보고 내가
누구인지, 내가 원하는 것이 무엇인지를 인식하려고 노력해야 합
니다. (구스타프 클림트)

위키(Wiki)는 친숙했지만, 위키아트(WikiArt)는 새로웠습니다. 사이트
에 접속하니 놀라운 광경이 펼쳐졌
습니다. 그림 천국이었습니다. 클
릭을 해도 해도 끝없이 나왔습니
다. 자연이 어우러진 평화로운 풍
경을 보고 싶었어요. 눈에 들어온

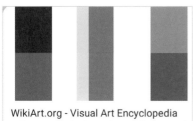

WikiArt.org - Visual Art Encyclopedia
Wikiart.org is the best place to find art onl...
www.wikiart.org

건, 인상 찌푸린 인물화, 형이상학적 도형, 침울한 분위기, 번잡한, 자극적인, 도저히 이해할 수 없는 그림만 보였습니다. 그러다 오아시스 같은 그림을 만났습니다. 연둣빛 잔디밭에 여유롭게 앉아 휴식을 취하는 사람들, 앞에 놓인 잔잔한 호수를 바라보는 사람들, 양산을 쓰고 서 있는 사람들, 아이들과 강아지들이 보였습니다. 어디선가 본 그림이었어요.

조르주 쇠라의 〈그랑드 자트섬의 일요일 오후〉였습니다. 세로 2미터, 가로 3미터 도화지에 점을 찍어 완성한 '점묘화'입니다.

전에는 몰랐는데요. 동네 커피숍에도, 한두 달에 한 번 가는 레

조르주 쇠라의 〈그랑드 자트섬의 일요일 오후〉(1884년, 캔버스에 유채)

스토랑 벽에도 있더라고요. 사랑받는 작품이라는 증거겠지요?

'나도 저 풀밭에 앉아서, 넋 놓고 잔잔한 호수만 바라보고 싶다.'

머리 복잡하고 마냥 쉬고 싶을 때, 이 그림을 봅니다. 첫 느낌과 달리, 평화롭기만 한 그림은 아니었지만, 그래서 더 좋아요. 마냥 아름답기만 하다면, 그림을 통해 얻는 게 많지는 않았을 거예요.

등장인물 하나하나 자세히 보셨나요? 모두가 무표정한 얼굴이에요. 누구와도 소통하지 않아요. 서로 마주보는 사람들이 없어요. 삭막하죠.

〈그랑드 자트 섬의 일요일 오후〉를 모티브로 해서 제작된 뮤지컬이 있습니다. 〈조지와 함께한 일요일 공원에서〉인데요. 그림 속 인물들이 무대로 걸어 나온 듯 했습니다.

주인공 조지는 세상과 원만한 관계를 맺지 못합니다. 자신만의 예술을 고집합니다. 오로지 작품으로만 세상과 소통해요. 선배 화가인 줄스와 나누는 대화에서 조지의 예술 성향을 엿볼 수 있습니다. 조지는 줄스에게 묻습니다.

"내 그림에 있는 여인의 모자가 무슨 색으로 보여?"

보라색이라고 말하자, 조지는 답합니다.

"저 모자는 무수한 빨강과 파랑의 점들로 이루어졌어. 그래서 보라 인 동시에 빨강과 파랑이야."

대답이 꽤나 신선했어요. 줄스처럼, '보라색이잖아.' 당연한 듯 답했을 테죠. 조지가 고정관념을 깨줬습니다. 빨강, 파랑처럼 각각의 색도 지니면서 함께 어울리면 보라가 된다는 것이 새삼스레 와 닿았어요. 갈등이 싫어서 혼자 있고 싶지만, 더불어 사는 삶도 꿈꾸는 우리의 모습과 닮았습니다.

¶ '구글 아트 앤 컬처(Google Arts & Culture)'에서 찾은 닮은 꼴 그녀

코로나는 생활 방식에 많은 변화를 가져왔습니다. 사회적 거리 두기로 아파트 모델 하우스도 현장 방문 대신 VR(Virtual Reality, 가상현실)로 간접 체험했습니다. 미술관도 백신을 맞지 않는 사람은 입장 금지였습니다. 이런 아쉬움을 덜어 준 게 구글 아트 앤 컬처 가상 미술관입니다. 스마트 폰으로 시·공간 가리지 않고 눈 앞에서 관람할 수 있습니다. 나와 닮은 명화 속 인물 찾기도 가능해요.

성격을 닮은 화가는 앙리 마티스였습니다. 외모가 비슷한 인물 찾기는 더 기대됐습니다. 구글 아트앤 컬쳐 앱을 다운받았습니다. 얼굴 사진을 찍어서 앱에 올렸습니다. 몇 초 기다리니 싱크로율 몇 프로라는 걸 알려주면서 그림 속 인물들을 보여줍니다. 싱크로율 71%의 한 여인이 당첨되었습니다. 도미니크 비방 드농이 1817년에 그린 〈Portrait of a Young Woman〉입니다. 옷차림으로 짐작하자면 르

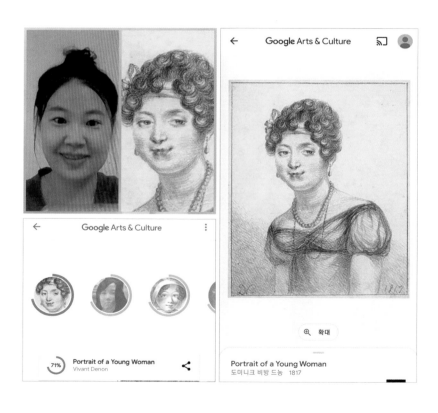

네상스 시대 여인의 모습이었습니다. 마음에 들었습니다. 'Young'이란 단어까지 붙었으니까요. 이목구비는 비슷하지 않은데 전체 분위기는 비슷했습니다.

명화와 비교하며 찬찬히 뜯어 봤어요. 화장할 때보다 유심히요. 예술은 이렇게 다가왔어요. 다방면으로 나를 더 잘 알게 말이죠. 더 가까이 두고 싶어졌습니다.

제3장
손만 뻗으면 예술이 거기 있더라

작은 행복은 손끝에 걸려 있어

'예술은 미학적, 철학적, 혹은 문학적인 학설이 아니다. 예술은 하늘과 산, 그리고 돌처럼 존재하는 것이다.' (김환기)

행복은 큰 걸 이뤄야만 따라오는 건 줄 알았습니다. 작은 것이 주는 충만함을 알지 못했습니다. 대기업에 다니고, 직원을 여러 명 둔 사장이 되고, 큰 집에 사는 것이 제가 생각한 행복 방정식이었어요.

병원에서 가장 먹고 싶었던 게 뭔 줄 아세요? 카페라테였습니다. 코로나 전엔 지인들이 사와서 마셨어요. 2020년부터 면회가 안 돼서 얼마나 먹고 싶었는지 몰라요. 이어폰 빼고 음악을 틀 수도 없지. 밥 먹을 때 말고는 마스크를 착용해야 하지, 마음대로 돌아다니지도 못하지. 이런 경험이 없었다면, '감사'보다는 '당연'과 친했을 겁니다.

퇴원 후, 커피 마실 때마다 감격스러웠어요. 네! '감격'이요. 투명  유리잔에 담긴 아이스 라테를 멍하니 바라봤습니다. 아래층엔 하얀 우유, 위층엔 진갈색 커피…, 빨대로 두 가지 색이 섞이도록 살살 저을 때 회오리처럼 섞이는 커피를 넋 놓고 바라봤습니다. 추운 날엔 커피 위에 살포시 그려진 라테 아트에 미소 지었습니다. 어떤 날엔 하트, 또 어떤 날엔 나뭇잎이 떠 있어요. 행복, 멀리서 찾을 필요 없던 걸요!

¶ 빼앗긴 일상에 예술비 뿌리기

2020년 봄. 진달래, 개나리, 목련, 벚꽃 만개하는 아름다운 계절을 잃어버렸습니다. 이상화의 시 〈빼앗긴 들에도 봄은 오는가〉가 생각납니다. 2021년과 2022년에 비하면 확진자가 비교할 수 없을 정도로 적었지만, 공포심은 극에 달했죠. 일주일간 집 밖으로 나가지 않았고, 엘리베이터 안에 사람이 있으면 타지 않았습니다. 공원에서 산책할 때도 사람과 1미터 이상 거리를 유지했고, 집밥만 먹었습니다. 지하철 안에서 누가 기침만 해도 신경이 곤두섰습니다.

"일상이 그리워요."

가족끼리도 인원수 조절해서 만나야 했으니, 일상을 단단히 빼앗겼습니다. 2021년도 봄에 문화예술 독서 모임에 참여한 건 코로나와도 무관하지 않아요. 예술은요. 입원과 코로나처럼 몸이 자유롭지 않을 때 그 가치가 더 빛납니다. 제한된 생활 속에 있다 보면, 그동안 놓쳤던 것에 집중하게 되고요. 예전엔 몰랐던 재미를 발견합니다.

책에서 본 그림을 어디선가 불쑥불쑥 만나면 그렇게 반가울 수가 없더라고요. 부산 지하철역에서 빛의 마술사 모네를 마주했을 때 그랬어요. 로맨틱한 풍경화로 유명한 화가죠. 〈양산을 든 여인〉이 커다란 광고판에 있었어요. 아는 사람 만난 것처럼 인사라도 하고 싶었죠. 예술이 주는 이런 잔잔한 즐거움이 좋아요.

예술은 작고 하찮은 존재라도 의미와 가치가 있다는 걸 느끼게 합니다. 코로나19보다 더한 상황이 와도 일상을 빼앗기지 않을 래요. 저만의 방식대로 예술을 지켜나갈 거예요. 남들 보기에 그럴듯해 보일 필요 없습니다. 작은 행복은 손끝에 걸려있습니다.

책상 위의 반 고흐

화가는 자연을 이해하고 사랑함으로써 평범한 사람들이 자연을 더 잘 볼 수 있도록 도와주는 사람이다. (반 고흐)

하루의 시작, 어떻게 하세요? 저는 그림과 함께 합니다. 책상 위에 '명화 일력'이 놓여있습니다. 가로 21, 세로 14센티미터 크기인데요. 그림 365개와 설명이 곁들여져 있어요. 아침에 일어나면, 오늘은 무슨 그림일까? 한 장씩 뒤로 넘깁니다. 평상시에도 날짜와 상관없이 넘겨보기도 하고요. 익숙한 그림이 나오면 반갑고, 낯선 것이면 설명을 눈여겨봅니다.

명화 일력을 받았을 때, 2월 15일을 가장 먼저 찾았어요. 제게 의미 있는 날이거든요. 펼치기 전, 내심 아는 작품이 나오길 바랐어요.

놀랍게도, 그냥 아는 정도가 아니라 너무나도 유명한 그림이었어요.

¶ 두 개의 "별이 빛나는 밤"

2월 15일, 빈센트 반 고흐 〈별이 빛나는 밤(1889년)〉

예술에 관심 없어도, 여러 번 봤을 거예요. 작품은 아름답지만, 그

빈센트 반 고흐 〈별이 빛나는 밤〉(1889년, 캔버스에 유채)

리게 된 배경에는 아픔이 서려 있어요.

고흐, 어떤 이미지가 먼저 떠오르세요?

중학교 때부터였을까요. '자기 귀를 자른 괴팍한 천재 화가'로 이미지가 굳어졌어요. 고흐와 뗄래야 뗄 수 없는 화가가 있죠. 이름도 비슷한 고갱입니다. 그와의 불화로 결별했고, 귀를 잘랐어요. 결국, 생 레미에 있는 정신 요양원에 입원했습니다. 거기서 〈별이 빛나는 밤 The Starry Night〉를 그렸죠. 고흐는 알까요? 고통을 재료 삼아 그렸던 그림이, 전 세계인의 사랑을 받고 있다는 걸요.

1월 1일부터 한 장씩 넘기다가 1월 25일에 멈췄습니다. 고흐가 그린 또 다른 별 그림이었어요.

〈론강의 별이 빛나는 밤(1888년)〉.

인상 깊은 설명이 한 줄 있었습니다. '현장에서 실제로 목격한 것을 그리는 것이 그의 원칙이었다.' 이 문장을 읽고 2022년 2월에 본 영화 〈고흐, 영원의 문에서〉가 생각났습니다. 고흐가 캔버스와 물감을 들고 떠돌아다니다가 마음에 드는 장면을 마주하자, 바로 그 자리에서 그리기에 몰입하더라고요. 별생각 없이 지나쳤는데요. 고흐의 원칙을 보여주려는 감독의 의도였을까요?

빈센트 반 고흐 〈론강의 별이 빛나는 밤〉(1888년, 캔버스에 유채)

어둡고 거칠어 보이는 〈별이 빛나는 밤〉에 비해 〈론강의 별이 빛나는 밤〉은 잔잔하고 아름답습니다. 두 그림을 따로따로 본 적은 있었지만, 같이 보는 건 처음이었어요. 소재는 같은데, 분위기는 달라요. 론강의 빛나는 별을 그렸을 때는 1년 뒤에 고갱과 결별할 줄 몰랐겠지요. 두 개의 별 그림에서 그때 당시 고흐의 상황과 심정을 헤아려봅니다.

٩| 해바라기

책상 뒤쪽 벽에는 해바라기 액자가 걸려있습니다. 10년 가까이 눈에 보이는 곳에 있었지만, 특별한 의미를 두진 않았습니다. 마치 가족처럼요. 늘 곁에 있어서 소중함을 느끼지 못했다고나 할까요. 그러다가 고흐의 대표작 중에 별과 해바라기가 자주 등장한다는 걸 알게됐죠. 해바라기가 다시 보이더군요. 예술 일기를 쓰면서, 액자에 관한 추억을 끄집어냈습니다.

15년 전 즈음에 학원 문을 열고 여대생 두 명이 들어왔습니다.

"안녕하세요? 미대 다니는 학생입니다. 학비 마련하려고 그림을 그려드리고 있어요. 혹시 필요하지 않으세요?"

해바라기와 몇몇 그림을 보여 주었습니다. 원하는 그림을 직접 그려주겠다고 했습니다. 화사한 분위기가 학원이랑 어울리겠다 싶어 구입했습니다. 집에도 두려고 똑같이 그려 달라고 했습니다. 그 후로 미대생은 우리 학원 단골 화가가 되었습니다. 저에게 그들은, 살아있는 고흐였습니다. 친한 원장님들 학원에 놀러 가거나 오픈하는 곳에

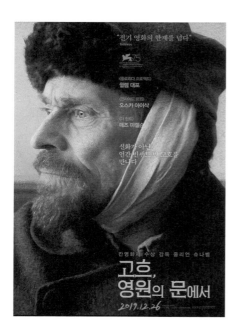

해바라기 그림을 선물했습니다.

원래 흰색, 빨간색을 좋아했었습니다. 언제부터였을까요. 노란색과 연두색을 좋아하게 됐습니다.

고흐의 해바라기 영향이겠지요?

〈고흐, 영원의 문에서〉에 고흐가 이런 말을 했어요.

"내가 보는 세상을 사람들에게도 보여주고 싶어."

이 말을 내뱉은 후에 도화지, 물감, 붓, 고흐는 하나가 됩니다. 40년 넘게 사회 규범대로 살아왔습니다. 앞으로도 그래야겠지요. 남과 더불어 살아가야 하니까요. 남을 의식할 필요 없을 때는 다르게 살아 볼 거예요. 가끔은 색다른 안목으로 세상을 바라보고 싶거든요. 고흐가 된 것처럼 그렇게.

방을 둘러보세요. 당신이 알아봐 주기를 기다리는 작품이 곳곳에 있을 거예요. 제가 별과 해바라기를 다시 보게 된 것처럼요. 당신의 눈길이 닿으면, 무엇이든 예술이 됩니다!

뭐! 그림 한 점에 1,020억이라고?

남다르게 바라보고, 남다르게 생각하라. (데이비드 호크니)

지금은 덤덤히 말합니다. 집합 금지와 강제 휴원.

수입이 반토막 났습니다. 상가 월세와 강사 급여는 그대로 나갔죠.

천직인 학원 경영을 오래 하고 싶었어요.

'흔들리면 안 돼.'

경제 독서 모임과 스터디에 참여해서 신문을 매일 읽었습니다. 딱

딱하기만 할 줄 알았는데, 제 관심사인 마케팅 기사가 심심치 않게

나왔습니다. 공연, 전시회 소식도 가득했습니다. 경제 신문을 통해

또 한 명의 거장을 만났습니다.

¶ 수영장 화가 '데이비드 호크니'

방구석 아티스트답게 예술 관련 기사를 유심히 봤습니다. 눈에 띈 기사가 있었어요. 롯데 백화점에서 열린 데이비드 호크니 전입니다.

천장에 예술작품이 '둥둥' 롯데백화점 아트 마케팅

롯데백화점이 '예술 마케팅'에 꽂혔다. 전담 조직을 신설해 백화점 점포를 대형 조형물로 꾸미고, 국내 최대 3차원(3D) 전시 스크린을 마련해 해외 유명 전시를 잇달아 소개하고 있다. 백화점에 소비자를 불러 모을 수 있는 체험형 콘텐츠 가운데 예술이 차별화하기 쉽고 고급 이미지를 구축할 수 있어서다. (기사 출처 : 한국 경제)

기사를 읽은 건 데이비드 호크니 때문이 아니었어요. 처음 듣는 이름이었거든요. 제 관심사는 '천장에 예술작품이 둥둥' 이었습니다. 벽이 아니라 천장에 매달려 있어서 신기했습니다.

백화점에서 갖가지 전시회나 이벤트가 열린다는 것은 알았어요. 넓은 공간 활용해야 하니 당연하다고 생각했지, 개최 이유는 궁금하지 않았어요. 기사를 읽기 전까지는요.

천장에 예술작품이 '둥둥'…롯데百 아트 마케팅

노유정 기자
입력 2021.12.14 17:55 | 수정 2021.12.14 17:55 | 지면 A20

본점에 '리틀 클라우드' 설치
동탄점에는 3D 전시스크린 구현
17일부터 인상주의 미디어아트展

롯데백화점이 '예술 마케팅'에 꽂혔다. 전담 조직을 신설해 백화점 점포를 대형 조형물로 꾸미고, 국내 최대 3차원(3D) 전시 스크린을 마련해 해외 유명 전시를 잇따라 소개하고 있다. 백화점에 소비자를 불러모을 수 있는 체험형 콘텐츠 가운데 예술이 차별화하기 쉽고 고급 이미지를 구축할 수 있어서다.

고객의 발길을 끌기 위한 차별화된 콘텐츠가 예술이었습니다. 백화점 이미지에 걸맞기도 하고요.

기사를 읽고 〈심쿵책쿵〉 방에 가서 관련 소식을 전했어요.

"오늘 경제 신문에서 봤는데요. 롯데 백화점에서 데이비드 호크니 전시회가 열린대요."

멤버들이 한 마디씩 거들었습니다.

"엄청 유명한 화가예요."

"수영장 그림을 많이 그렸어요."

"전시회에 다녀온 적 있어요."

데이비드 호크니는 '팝아트의 거장'으로 '수영장 화가'로 유명합니다. 세계에서 그림 값이 가장 비싼 생존 작가입니다. 수영장으로 배경으로 한 〈예술가의 초상〉(1972년)이 2018년 11월 뉴욕 크리스티 경매에서 9,030만 달러(약 1,020억 원)에 낙찰됐다고 해요.

영국 출신이지만 미국으로 이주하여 30년간 왕성한 활동을 합니다. 집 뒷마당에 있는 수영장을 그리면서 '수영장 시리즈'를 선보였어요. 1967년 작품인 〈A Bigger Splash(큰 첨벙)〉가 대표작입니다. 그림은 평면이고 그림 속 집과 수영장도 직선으로 표현했습니다. 물이 첨벙하는 그 찰나의 모습만 실제 수영장에서 다이빙한 것처럼 입체적으로 보였어요. 수영장 그림을 그린 이유 중 하나는 그가 살았던 로스앤젤레스 부유층의 일상

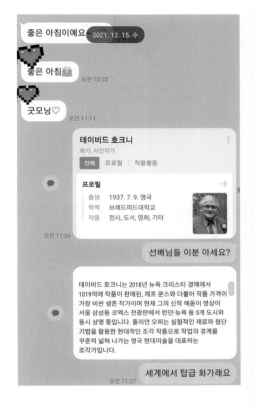

을 그리기에 안성맞춤이어서라고 합니다.

서먹서먹해 보였던 경제 신문과 예술은 알고 보니, 절친이었어요. 부동산, 경매, 분양 소식 등을 알려고 읽었는데 뜻밖에 보너스가 따라왔습니다. 한 면 가득 채운 전시회 소식과 예술가를 소개하는 코

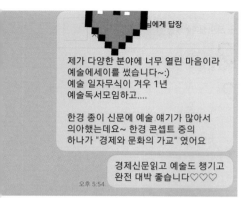

너도 따로 있었습니다. 손을 뻗어 신문을 넘기니, 예술이 눈에 들어 왔습니다. 경제 신문을 꼭 읽어야 겠다는 생각까지 들었으니 일석이 조지요.

지금 편의점으로 달려가, 경제 신문 한 부 펼쳐보시면 어떨까요?

동네 한 바퀴 돌다 만난 나혜석

남편의 아내 되기 전에 내 자식의 어미이기 전에 첫째로 나는 사람인 것이오. (나혜석)

저에게 수원은, 휴식 같은 도시입니다. 이곳에서 8년 살았습니다. 서울집은 학원과 도보 15분 거리였습니다. 학원에 올인하려고 10년 간 근처에 살았습니다. 운영 기간이 길어질수록 아는 사람도 늘어났습니다. 마트, 시장, 커피숍, 식당, 편의점. 어디에 가든 학부모와 학생을 만났습니다. 이런 곳은 괜찮습니다. 옷은 입고 있으니까요. 찜질방, 운동센터, 수영장, 병원이 문제였습니다. 옆 동네를 이용했는데, 더 멀리 갔어야 했습니다.

'학원과 거리를 두자.'

떠나온 것이 수원이었습니다. 츄리닝에 슬리퍼 신고, 노 메이크업으로 마트 가고, 수영장 탈의실에서 두리번거리지 않았습니다. 휴일마다 동네 탐방을 시작했습니다.

수원에서 처음 가 본 곳이 인계동 '나혜석 거리'였습니다. 최초의 한국 여성 서양화가인 그녀를 기념하기 위한 장소입니다. 거리 한복판에 화구통을 든 나혜석 동상이 세워져 있습니다.

나혜석을 다시 만난 건 집에서 도보 20분 거리 화성 근처였습니다. 산책길에 우연히 '정월 나혜석 생가터'라고 표시된 곳을 지났습니다. '나혜석 기념관'도 보았습니다. 골목 골목에 자화상과 작품들도 그려져 있었습니다. 주위를 둘러보니 온통 나혜석이 있었습니다.

서양화가

단편소설 《경희》

유화 개인전

세계일주

도쿄 미술 전문학교 입학

나혜석(1896-1948)

두 '조선 여성 최초'라는 수식어가 붙습니다. 신여성 대표주자였고, 페미니스트였습니다. 지금이야 익숙한 단어지만, 그때는 가족마저 등 돌릴 정도로 앞서간 여성이었습니다. 1934년에 발표한 〈이혼 고백장〉을 보면요. 남자는 정조를 안 지키면서, 여자에게만 강요하는 법이 어디 있냐며 조선을 발칵 뒤집어 놓았죠. 쉬쉬해야 할 가정사를 온 나라에 공개했습니다. 계란으로 바위 치기 하듯, 얼마나 외로운 투쟁을 했을까요?

작가로서 업적도 대단했습니다. 가부장제 비판과 여성의 위치에 대한 글을 주로 썼습니다. 18세에 《이상적인 부인》을 발표했습니다. 남녀 차별을 비판하고 여성의 권리를 주장했습니다. 소설 《경희》와 《회생한 손녀에게》도 집필했는데요. 여성도 자유로운 삶을 찾아야

한다고 강조했습니다.

세계 일주 경험을 바탕으로 《조선 여성 첫 세계 일주기》와 《꽃의 파리행》을 썼습니다. 작년 독서 모임 9월 지정 도서가 《꽃의 파리행》이었습니다. 20개월간 러시아, 스위스, 스페인, 독일, 파리를 비롯하여 세계 여러 나라를 돌았습니다. 파리에서만 14개월을 머물렀습니다.

"누구든지 파리에 와 있다가 파리가 좋은 곳인 줄 아는 날은 떠나기 싫다. ─중략─ 이곳을 떠날 때는 마치 애인 앞을 떠나는 것 같다."

파리를 좋아했던 나혜석이 느껴지나요? 그녀의 눈을 따라 파리 구석구석을 경험했습니다.

엄마 나혜석은, 백일이 갓 지난 막내를 시댁에 맡기고 20개월 동안 세계 일주를 했습니다. 아내 나혜석은, 파리에서 다른 남자를 만났습니다. 어떻게 말해야 할지 머뭇거려집니다. 남자와 평등한 대우를 받고 싶었던 여자, 재능을 인정받고 싶었던 예술가로서는 그녀의 행보를 응원합니다.

'언젠가 먼 훗날 나의 피와 외침이 이 땅에 뿌려져 우리 후손 여성들은 좀 더 인간다운 삶을 살면서 내 이름을 기억할 것이라.' (이혼 고백서 中)

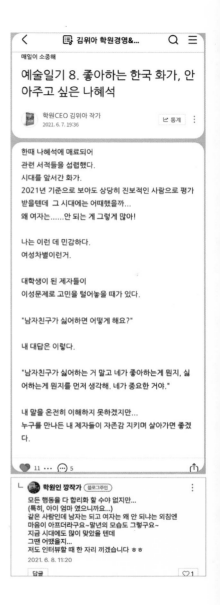

버스 정류장에서 시를 읽다

문학을 좋아하고 시를 사랑한다는 것은 마음속에 사랑이 있다는 증거다. (박목월)

수원은 '인문학 도시'입니다. '시민과 함께 인문학을 꿈꾼다' 표어 아래 2013년부터 매년 두 차례 시민 공모전을 열어요. 선정된 창작시를 버스 정류장에 게시합니다. 지나가다가, 버스 기다리면서 시 한 편 감상하는 일상을 누립니다.

버스정류장 시에는 공통점이 있습니다.

첫째, 생활 밀착형입니다.

둘째, 가족과 이웃을 생각하게 합니다.

셋째, 시인의 연령 폭이 초등학생부터 70대까지 다양합니다.

성인과 학생이 쓴 시 한 편씩 소개해 드릴게요. 수원 장안 구청 부근에서 본 〈너에게〉입니다. 장면이 생생히 그려지면서 가족, 지인, 학생들이 생각났어요.

너에게

어제는 이 정류장에서

지친 어깨지만 한 손에는 떡볶이를 든 채 "얼른 갈게~"라며

따뜻한 미소를 짓는 아저씨가 왔다 갔어.

오늘은 이 정류장에서

무거운 가방을 멨지만, 이야기를 조잘거리며

반짝이는 웃음을 터뜨리는 학생들이 왔다 갔어.

내일은 이곳에서

힘든 하루를 걱정하겠지만

자그마한 행복들이 가득할 너를 기다릴게.

　　　　　　－ 최유정, 버스정류장 인문학글판 창작시 공모 장려(일반부)

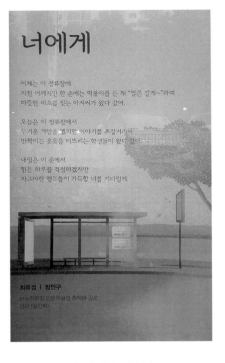

너에게

어제는 이 정류장에
지친 어깨지만 한 손에는 떡볶이를 든 채 "얼른 갈게~"라며
따뜻한 미소를 짓는 아저씨가 왔다 갔어.

오늘은 이 정류장에서
무거운 가방을 멨지만 이야기를 조잘거리며
반짝이는 웃음을 터뜨리는 학생들이 왔다 갔어.

내일은 이 곳에서
힘든 하루를 걱정하겠지만
자그마한 행복들이 가득할 너를 기다릴게.

최유정 | 장인구
버스정류장 인문학글판 창작촌 공모
장려 (일반부)

떡볶이를 든 아저씨는 "아빠 어디야? 보고 싶어! 빨리 와! 딸의 전화를 받았을 거 같아요. 가끔 버스 안에서 어린 자녀와 통화하는 아빠를 봤거든요. 아빠 얼굴엔 미소와 행복이 둥실 떠올라 있었어요.

2연에선 학교 마치고 학원 수업 왔다가 밤늦게 돌아가는 우리 학생들이 생각났고요. 자기 몸집만 한 가방을 든 아이들을 보면 짠해요. 선생님의 썰렁한 농담에도 웃음 터트리는 모습이 사랑스러워요.

행복은 내가 선택하고, 내가 찾아야만 내 곁에 머무릅니다. 하루하루 걱정을 안고 살아가더라도 그 안에서 자그마한 행복을 가득 채울 거예요.

두 번째 시는요. 초등학생 작품입니다. 사랑스러워서 까무러칠 것 같아요. 어릴 적 추억이 새록새록 합니다.

어른들은 몰라요

동생과 내가 싸우면
항상 먼저 울어버리는 내 동생
우리 아빠 달려오시며
동생을 달래주신다

어른들은 모른다
누구의 잘못인지
어른들은 모른다
나도 울음을 참고 있는 걸

들쑥날쑥 내 어깨 위에
가만히, 내려앉은 손 하나
툭툭 쳐주시는 아빠의 손길에
마음이 사르르 녹아 내린다

- 정은후, 율현초등학교 4,

버스정류장 인문학글판 창작시 최우수(청소년부)

시 읽고, 제 마음이 사르르~~~. 형제자매 있는 분이라면, 이런 경험 다들 있지요? 저는 딸 셋에 둘째였어요. 같이 싸웠는데 동생만 달래 주거나, 언니 편만 들어주면 그렇게 서럽더라고요. 제 어깨도 들쑥날쑥 했답니다. 지나가다 우연히 읽게 된 시가 동심을 찾아줬어요. 누군가에게 서운한 마음이 생길 때 시 한 편 써보렵니다.

때로는 유명 시인 보다 우리 이웃의 시에서 공감, 위로, 웃음을 얻습니다. 누구와 다투셨나요? 몸이 아프신가요? 돌아가신 부모님이 그리우신가요?

버스정류장에는 당신을 기다리는 시가 있습니다.

나만의 모네, 모차르트, 헤밍웨이

타인보다 조금 더 낫다고 훌륭한 것이 아니다. 과거의 자신보다 더 훌륭해진 것이야말로 진정으로 성공한 것이다. (헤밍웨이)

하트 손 편지와 공주 그림을 선물 받았습니다. 악기 연주를 라이브로 들었습니다. 학생 덕분에 예술에 둘러싸여 있었으면서, 멀리서 찾았습니다. 책을 쓰지 않았다면, 예술 꿈나무였던 제자들을 잊을 뻔했습니다. 스무 해 넘게 함께했던 소중한 아이들을요.

예체능 입시를 준비하는 고등학생을 보면 마음이 짠합니다. 연습실에서 무용, 악기, 미술, 운동 연습하다 새벽 1~2시에 집에 옵니다.

공부도 챙기려니, 잠을 줄여야 합니다. 이동 중에 차 안에서 쪽잠을 자고, 단어 외우고, 간식 먹는 얘기에 안쓰러움이 가시지 않습니다. 부모님 마음은 어떠실까요.

예술로 인연이 된 그들과의 추억, 떠올려 봅니다.

¶ 나만의 모네

"지윤아, 공주… 쌤이야?"

"네…, 선생님은 공주처럼 예뻐요."

"진짜?"

"네!! 진짜예요. 원장 선생님이 젤 예뻐요."

아랫니, 윗니 하나씩 빠진 아이가 소리칩니다. 그림 속에 저의 20대, 30대 모습이 들어있습니다. 20대 때 유행에 따라 밝은 갈색, 블루블랙, 노랑 빛깔로 염색했습니다. 학생들은 제 모습에 관심 많았습니다. 머리 색깔은 어떤지, 오늘은 무슨 귀걸이를 하고 왔는지, 손톱 매니큐어 색깔은 무엇인지. 반지는 뭘 꼈는지.

5학년 즈음 되니, 사랑스런 모습은 온데간데없이 사라졌습니다.

"묻는 말에 대답이라도 좀 해!"

잔소리가 늘었습니다. 변한 모습이 낯설었어요. 비장의 무기를 꺼냈습니다.

'그래. 이럴 때도 있었잖아.'

다음 날, 학원 문을 열고 들어왔습니다.

"오구구~~~ 우리 껌둥이~~~ 학교 잘 다녀왔어?"

편지와 그림은 상처에 바르는 특효약이었습니다.

학원 벽에 예술 작품이 걸려있습니다. 1분 만에 쓱쓱 그린 연필 스케치, 〈겨울 왕국〉의 엘사, 제일 많은 건 아무래도 영어 독서 감상화입니다. 8절지 도화지에 원서 읽고 느낀 점을 영어로 쓰고 그림을 곁들인 작품입니다. 학생들 투표로 최우수 작품을 뽑고 전시회도 합니다.

"선생님 그림 좀 그려줘 봐. 그럼, 숙제 안 내줄게."

학생들에게 애교 떨며 그림을 구걸했습니다. 숙제 면제라는 멋진 조건을 제시하고 말이죠. 못 이기는 척 킥킥거리며 그려줬던 나만의 모네였던 학생들이 보고 싶습니다.

♩ 나만의 모차르트

"원장님…, 죄송해서 어쩌죠. 유진이 오케스트라 대회 준비로 2주 결석해야 해요."

예체능 학생들은 결석이 잦아요. 대회 일정이 정해지면 거기에 올인합니다. 연주 사진을 보여주고 공연에도 초대해 줍니다. 플루트나 바이올린처럼 들고 다닐 수 있는 악기를 배우는 학생은 학원에서 들려줬습니다. 학부모 카톡에서 자녀의 연주회 모습을 종종 봅니다. 하얀 드레스를 입고 피아노 앞에 앉은 모습, 나비넥타이를 하고 바이올린을 켜는 모습. 학원에서 보던 그 개구쟁이들이 맞을까요?

¶ 나만의 헤밍웨이

크리스마스 카드, 반성문, 영작 숙제, 손편지, '사랑해요' 쪽지도 모두 간직하고 있습니다. 닳아 없어질까 봐 코팅도 했어요. 다양한 종류의 글을 선물 받았습니다. 제 눈에는 헤밍웨이의 글보다 걸작입니다.

《노인과 바다》에는 추억이 없습니다. 학생이 쓴 쪽지에는, 우리들만의 이야기가 녹아 있습니다.

스승의 날 편지를 읽으면 눈물이 맺힙니다. 크리스마스 카드를 보면 파티의 즐거움이 떠오릅니다. 반성문을 보면, 별것도 아닌데 괜히 야단쳤나 반성합니다. '글자 하나에 추억 하나' 담겨 있습니다.

요즘은 디지털 정을 쌓아갑니다. 손 글씨보다는 카톡으로 많이 보냅니다. 평생 닳지 않고 어디든 들고 다닐 수 있으니 이 또한 좋아요. 어느덧 성인이 되어 예술인으로 살아가고 있는 옛 제자도, 선배를 따라갈 꿈나무도 모두 응원합니다. 우리 학생이 남긴 작품 덕분에, 과거 모습을 돌아봐요. 오늘이 더 나은 사람으로 성장합니다.

'알고 있니? 너희들은 선생님의 모네, 모차르트, 헤밍웨이야!'

둠칫둠칫 기분 따라 골라 듣는 음악

음악은 사람의 기분을 순식간에 바꿀 수 있는 유일한 것이다.
(데미 로바토)

음악으로 기분 전환하는 분들 많죠? 음악의 효과에는 어떤 것이
있을까요. 제가 경험한 바로는요. 스트레스 해소에 좋아요. 기분을
차분하게 가라앉혀 줍니다. 음악 치료라는 말이 있듯이 통증을 줄이
는 데에도 도움 돼요. 클래식은 집중력을 끌어올려 주고요.

기분, 날씨, 상황에 따라 골라 듣는 음악이 있나요?
어떤 걸 들어야 할지 모르는 분들을 위해 유튜브 채널 하나 소개해

드릴게요. 〈essential;〉입니다.

'선곡이 끝내주네!'

장르별, 상황별 음악이 소개되어 있는데요. 클릭할 때마다 감탄합니다. 다음은 자주 듣는 플레이 리스트 다섯 개입니다.

1. 돗자리 펴고 뒹굴거리기 : 기분 전환용 데일리 팝(daily pop)입니다. 햇살 좋은 봄날, 흥겨운 음악과 함께라면 행복이 배가 되겠지요.

2. 어서 와! 우리만의 여름 캠프 : 통통 튀고 청량감 있는 음악이 더위를 식혀 주기에 충분해요! 여행 떠나는 기분을 느껴보세요.

3. 옷장 정리 싹 하면서 듣는 상쾌한 보사노바 : '보사노바'는 포르투갈어로 '새로운 경향'을 뜻해요. 브라질 삼바에서 나온 음악 장르인데요. 이보단 더 감미롭습니다. 과하지 않은 리듬과 멜로디가 특징입니다.

4. 세련된 카페 안, 나 그리고 커피 & 음악 : 커피 좋아하세요? 카페로 당장 달려가게 만드는 곡입니다.

5. 긍정 에너지를 채워 줄 Refresh Groove! : '그루브를 탄다' 들어보셨을까요? 음악 예능 프로그램에서 종종 만나죠. '리듬을 탄다'로 바꿔 쓸 수 있겠네요. 리듬과 함께 긍정 에너지 채워보세요!

가장 즐겨 듣는 음악은요. '옷장 정리하면서 듣는 상쾌한 보사노바'입니다. 책장 정리까지 하게 만드는 음악입니다.

사람, 물건, 건강, 음악에는 공통점이 있습니다. 없을 때, 소중함과 가치를 훨씬 많이 느낍니다. 커피숍과 헬스클럽에 음악이 없는 걸 상상할 수 없습니다. 음악이 더해지면, 커피 맛이 더 좋아요. 카푸치노 거품처럼 대화가 풍부해지고요. 운동센터에서 잠깐씩 음악이 멈출 때, 트레드밀을 탈 맛이 나지 않았습니다. 몸을 움직이게 하는 것에 음악도 한몫합니다. 배경 음악 없는 영화 역시 상상할 수 없죠.

음악은 사랑처럼 눈에 보이진 않지만, 삶을 완성해 줍니다.

커피를 사랑한 예술가

악보를 틀리게 연주하는 것은 넘어갈 수 있다. 열정 없이 연주하는 것은 변명의 여지가 없다. (베토벤)

커피 걸(coffee girl). 대학 친구들이 붙여 준 별명입니다. 등교할 때마다 100원짜리 학교 자판기 커피를 뽑아 강의실에 들어갔거든요. 꼬맹이 때도 부모님이 커피 마시면, 껌처럼 달라붙었습니다.

"엄마 한 입만, 아빠 나도 한 입만."

"커피는 어른들만 마시는 거야."

빨리 어른이 되고 싶었어요. 엄마는 맥심 커피:프리마:설탕을 2:2:2 비율로 꽃무늬가 그려진 커피잔에 탔습니다. 가끔 얻어 마시는 달짝지근한 커피 한 모금이 초콜릿보다 맛났어요. 커피를 마음껏 즐길 나이가 되었을 때, 엄마 레시피를 따라 했어요. 피곤할수록, 설탕이 한 스푼씩 늘어났습니다. 혼자 마시던 커피를 대학 때 카페에서 아르바이트하면서 함께 나누게 되었습니다. 꿈 리스트 중에 북카페 창업이 있어요. 커피 박람회나 커피 박물관 가는 걸 좋아하고요.

여행지에 가면 커피 박물관이 있나 먼저 확인해요. 양평 '왈츠와 닥터만', 부산 전포동 카페 거리에 있는 '부산커피박물관' 그리고 마을 전체가 온통 아트인 파주 헤이리 마을이 생각납니다. 파주 커피 박물관 건물 벽에는 '커피는 예술이다'라고 적혀 있더라고요 커피와 예술도 실과 바늘처럼 어울리죠. 그렇담, 커피를 사랑한 예술가들 스토리도 한 번 들어보시겠어요?

¶ 커피를 사랑한 예술가

발자크

'원고지 넘어가는 수만큼 커피를 마셨던 세계적인 문호 발자크'

외국의 어느 광고회사에서 만든 문구입니다. '도대체 얼마나 마셨길래. 내가 좋아하는 건 애교 수준인가 보네.' 세계 커피 애호가 중에서도 단연 최고였지 싶습니다. 한 통계학자는 발자크가 마신 커피가 무려 5만 잔에 이른다고 했습니다. 하루에 50잔 마셨다는 기록도…. 쉰 살에 생을 마감했는데, 카페인 과다복용에 의한 심장병이었다고 해요. 슈테판 츠바이크가 쓴 《발자크 평전》 중에 이런 글이 있습니다.

"한밤중에 일어나 여섯 자루의 촛불을 켜고 써 내려가기 시작한다. 눈이 침침해지고 손이 움직이지 않을 때까지 멈추지 않는다. 4시간에서 6시간 정도가 훌쩍 지나가고 체력에 한계가 온다. 그러면 의자에서 일어나 커피를 탄다. 하지만 실은 이 한 잔도 계속 글쓰기에 박차를 가하기 위함이다."

발자크를 '문학 노동자'라고 불렀대요. 글만 썼다고요. 사업들이 모두 실패해서 산더미 같은 빚이 생겼는데요. 빚을 탕감하려고 100여 편의 장편소설과 단편소설, 희곡 등을 썼습니다. 치열하게 글을 쓰기 위해, 커피를 곁에 두었습니다. 글을 써야만 했던 이유, 에스프레소만큼이나 쓸쓸합니다.

"그의 방 안에는 악보와 옷이 어지럽게 놓여있고, 테이블에는 악보 용지 한 장과 끓고 있는 커피가 있다."

독일 작곡가 베버가 베토벤의 집에 갔다 와서 남겼습니다. 청력을 잃어가는 베토벤에게 커피는 어떤 존재였을까요? 외로움을 달래주고 세상과 이어주는 친구였겠지요. 아침에 원두 60알을 갈아 신선한 커피로 식사를 대신했습니다.

오스트리아 빈에도 많은 카페가 생겼지만, 주로 집에서 유리 주전자로 직접 커피를 내려 마셨습니다. 안톤 쉰들러가 쓴 글에서 베토벤의 커피 사랑을 엿볼 수 있습니다. '베토벤은 손님이 오면, 커피를 대접하려고 원두 낱알을 직접 일일이 세는 경우도 많았다.' 베토벤은 뭐든지 대충하는 사람이 아니었던 것 같지요?

반 고흐

반 고흐는 커피의 여왕이라고 불리는 '모카 마타리'를 좋아했습니다. 예멘의 최대 커피 무역항이었던 모카항에서 유래했습니다. 고흐가 남긴 작품에도 커피를 찾을 수 있습니다. 〈아를르의 포럼 광장의 카페 테라스〉와 〈밤의 카페 테라스〉가 유명하죠.

이곳에서 고흐는 다크 초콜릿 맛을 가진 모카 마타리를 마시며 그림 그렸겠지요? 동생 테오의 도움을 받으며 살았던 고흐가 비싼 커피를 즐겼다기에 갸우뚱했는데요. 지금은 세계 3대 커피라 불리지만, 그 당시에는 흔히 마실 수 있었다고 해요.

바흐

칸타타. 캔 커피 이름으로 익숙합니다. 바흐과 관련 있었어요. 그도 커피 애호가였습니다. 잠시 금지령이 내렸던 시기에 커피에 대한 사랑으로 〈칸타타 bmv211번〉 일명 커피 칸타타를 작곡했어요. 바흐가 활동하던 라이프치히에서는 커피가 유행이었습니다. 커피하우스도 여럿 생겼고요. 그중 Cafe Zimmermann이라는 커피하

우스는 바흐와 관련된 곳이었습니다. 커피 칸타타는 커피하우스에서 연주되던 커피광고 음악이었습니다. 커피를 사랑하는 딸, 이를 말리는 아버지. 두 사람의 대화가 유쾌합니다.

'아, 커피 맛이 정말 기가 막혀. 수천 번의 키스보다 더 달콤하고, 맛 좋은 포도주보다 더 부드럽지. 커피, 커피 넌 날 살맛나게 해. 누가 나에게 한 턱 쏘려거든, 내 커피 잔만 가득 채워주면 그만!'〈딸 리스헨의 아리아 중〉

저도 그래요. 커피는 저를 살맛나게 합니다. 조용하게 있으면, 선생님과 학생이 걱정스레 말합니다.
"원장 선생님, 커피 한 잔 드릴까요?"
"원장 선생님, 커피 드실 시간 됐나 봐요."
커피 좋아한다는 걸 모두 알아요.

커피는 수많은 예술가에게 영감을 주었어요. 소설《날개》의 작가 이상은 24세에 집을 팔아 '제비 다방'을 차렸습니다. 헤밍웨이의《노인과 바다》에서는 쿠바 크리스탈 마운틴이 등장해요. 그가 즐겨 마셨던 커피입니다. 《해리포터》 시리즈는 스코틀랜드 에든버러의 엘리펀트 하우스(The Elephant House)라는 카페에서 탄생했습니다.

예술가는 창작의 고통을 커피에 의지하며 이겨냈습니다. 저도 글 쓰면서 커피 마시는 횟수가 늘었습니다. 예술가에게 커피가 어떤 존재였는지 이해해요. 나른한 오후에 마시는 커피 한 잔은 삶의 활력소입니다. 비 오는 날 빗소리와 함께 하는 커피는 운치를 더해주고요. 그냥 책상에 두는 것만으로 뭔가 채워진 기분이 들어요. 없으면 허전합니다. 커피가 일상에서 뗄 수 없는 존재이듯, 예술도 그렇게 다가오고 있습니다.

반려 악기, 해금

예술은 인생의 빵까지는 되지 않지만 적어도 포도주 정도는 된다. (장 파울)

"너 스무 살이야. 왜 그렇게 올드한 걸 좋아하냐!"

대학 다닐 때, 친구들이 놀렸습니다.

앤틱 소품, 한지, 도자기, 한옥을 보면 가던 길도 멈추고 봐요. 고전미에 끌려요. 이런 취향은 악기를 고르는데도 영향을 주었습니다.

2014년에 지인의 가야금 연주회에 갔습니다. 국악 연주회는 처음이었어요. 가야금과 해금 단독 연주도 있었고, 피아노와 국악 관현악

협주도 있었습니다.

해금 소리 들어보셨나요? 악기
에서 그렇게 구슬픈 소리가 나다
니요. 가야금 들으러 왔다, 해금
에 빠졌죠. 더 알고 싶었어요. 배
우려고 여기저기 찾았는데 마땅
한 곳이 없었습니다. 흐지부지 몇
년이 지났습니다.

¶ 일상 속 문화예술 공간 '화서사랑채'

2021년 여름 무렵, 수원 화성 근처를 지나가다가 아담하고 정갈한
한옥을 발견했습니다. 정확히 말하면, 그전에도 조금 떨어진 거리에
서 얼핏 봤는데요. 그냥 지나쳤어요. 한옥인 줄로만 알았거든요. 그
날따라, 가까이서 보고 싶더라고요. 뜻밖에도, 문화예술 프로그램이
진행 중이었어요. 서예, 시조창, 민요, 장구, 명심보감 그리고 반가운
해금이 있었죠. 어떤 곳인지 알고 싶어서 수원문화재단 홈페이지에
나온 소개 글을 읽었습니다.

수원 화성 화서문과 어우러진 아름다운 우리의 한옥으로 만들어진 이곳은 모두에게 열려있는 일상 속의 작은 문화예술 공간입니다. 화서 사랑채는 우리 전통문화와 공예, 인문학 등 다양한 교육 프로그램을 운영하며 지역민과 관광객 여러분을 기다리고 있습니다. 또한 화서문을 바라보는 야외 작은 공원은 공연과 체험 등 다양한 문화예술을 향유할 수 있는 공간으로 활용되고 있습니다.

국악 악기사를 통해 입문자용 해금을 대여했습니다. 보증금 13만

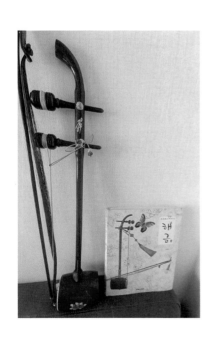

원과 3개월 대여 금액 7만 원을 선납하고 택배로 받았어요. 6개월 후, 대여 해금을 반납하고 해금을 구입했어요. 해금 가격은 입문용 50만 원부터 전공자용 4~500만 원대까지 다양했습니다. 악기사에 방문해서 소리를 들어보고 디자인을 살펴봤습니다. 제가 선택한 해금은요. 90만 원짜리 초보자용이고요. 짙은 자줏빛에 자개가 박혀있고 술 장식도 달려있습니다. 맘에 아주 쏙 들었어요.

해금이 우리나라 전통 악기인 줄 알았어요. 아니었습니다. 유라시아 대륙 북방 유목민의 악기가 한반도로 들어온 거예요. 시기는 정확하지 않으나 고려시대부터 한국 문헌에 등장했고요. 고려 후기와 조선 시대를 거치며 한국 악기화하였습니다. 전통음악의 핵심 선율악기로 정착했습니다.

코로나 영향으로 비대면으로 배우다가, 2023년 늦봄부터 대면 수업에 참여하고 있어요. 20대부터 70대까지 다양한 연령대 수강생들이 있습니다. 화서사랑채의 취지대로 일상에서 문화예술을 향유하고 있죠. 사람, 한옥, 음악이 함께 하는 그곳, 저의 넘버원 힐링 스팟입니다.

바쁘고 피곤한데도 다람쥐 쳇바퀴 도는 듯한 일상이 지겹다고 느끼신 적 없으셨나요?

일만 할 때는 시간 남으면 취미 생활을 해볼까 했습니다. 막상 여유가 생기니 집에서 커피와 치즈 케이크 먹으며 미드 '굿 와이프' 다운 받아 보는 게 편했습니다. 그런데, 반복되니 에너지가 충전되는 게 아니라 더 닳아 없어졌어요. 누워 있을수록 피곤해지는 이상한 경험을 하고 나서야 원인을 알았어요. 저는 몸을 움직여야 활기가 도는 사람이었어요.

'손은 제2의 뇌'라고 합니다. 마인드맵 배울 때 들었는데요. 악기 연주에도 적용됩니다. 해금을 켜며 손을 움직이니 뇌에도 새로운 자극이 전달되나 봐요. 기분 전환에 효과 만점이었어요. 지금은 동요 연주하는 수준이에요. 원하는 곡을 자유자재로 켜게 되면, 해금 입문자를 위해 자원봉사도 할 거에요.

2021년 6월에 드디어 만난 해금. 제 반려악기로 명합니다!

제4장
예술이 준 여덟 가지 선물

용기

감성

인내

나라 사랑

공감

삶의 태도

자기애

추억

외면하지 않을 용기

예술은 손으로 만든 작품이 아니라 예술가가 경험한 감정의 전달이다. (레프 톨스토이)

예술은 인문학, 역사, 심리, 철학, 경영 등 모든 분야와 연결되어 있습니다. 특히 역사는요. 예술가가 살았던 시대를 알아야 작품을 온전히 이해합니다.

2021년 12월에 《고뇌의 원근법》을 읽고, 두 가지 고정관념을 깼습니다.

첫째, 작품은 예술가 개인의 취향이라는 좁은 시각에서 벗어났어

요. 화가가 살았던 시대의 사건과 분위기가 반영되어 있었어요. 닮은 꼴 역사를 마주했어요. 한국의 일제 강점기와 독일의 나치 시대입니다. 동서양의 화가는 참혹한 실상을 작품에 고스란히 실었습니다. 그림에서 역사를 읽었습니다.

둘째, '예술=아름다움'이라는 공식을 깼습니다. 꽃, 햇살, 미인, 웃는 얼굴은 예쁩니다. 슬프고, 추하고, 잔인해도 아름다울 수 있었습니다. 처음엔 《고뇌의 원근법》이 마음에 들지 않았어요. 지정 도서니 어쩔 수 없이 읽었지요. 표지부터 내용 구석구석 어둠침침하고 흉측했습니다. 외면하고 싶은 그림이 가득했어요. 피, 잘린 신체, 흉기. 영화에서 잔인한 장면이 나오면 실눈을 뜨거나 양손으로 눈을 가리잖아요? 책을 활짝 펼치지 못했습니다. 전쟁과 폭력이 그대로 드러났습니다.

서경식 작가는 한국 미술 작품은 예쁘기만 하고 시대상을 반영하

지 못했다고 비판했습니다. 추
한 근현대사를 반영하기보다 형
식적 '아름다움'만을 추구한다고
말했습니다. 현실이 잔인해도,
똑바로 바라보았던 예술가들이
있었습니다. 작가는 그들의 작
품이 주는 감동을 전하고 싶어
했습니다.

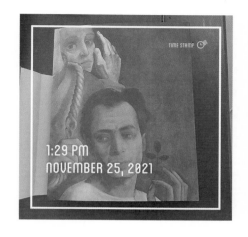

이 책은 에밀 놀데, 오토 딕스, 펠릭스 누스바움, 카라바조, 다니엘
살라자르 등의 작품들을 소개합니다. 그림을 이해하기 위해선 제1, 2
차 세계대전과 독일 역사를 알아야 했어요. 책에는 20세기 독일 자
화상을 이렇게 표현했습니다. '타자(他者)를 아프게 하고, 죽이고, 자신
도 상처를 입은 채 배회하는 거인이다.'

나치당은 위에 언급한 화가 대부분을 퇴폐 예술가로 낙인찍었습니
다. 펠릭스 누스바움은 홀로코스트 희생자였습니다. 그의 그림에는
공포와 잔혹함이 그대로 드러납니다. 그림으로 당시 상황을 증명했
습니다. 펠릭스 누스바움은 수용소에 갇혀서 1분 뒤에 사형 당할지도

모르는 상황이었습니다. 표지 그림은 그가 그린 〈사형복을 입은 자화상〉(군상)인데요. 오른쪽 아래에 있는 남성이 바로 누스바움이라고 해요. 그의 모습을 책에선 이렇게 표현했습니다.

"화면 오른쪽 하단에 있는 남성의 표정에는 알 수 없는 불안과 체념이 가득하다. 이 극도로 불안하고 불길한 인상이 두 눈을 통해 온몸 깊숙이 스며드는 것 같았다."

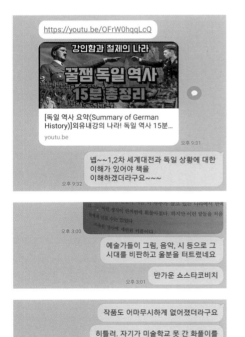

펠릭스 누스바움 처럼 전쟁의 참혹함과 광기 어린 사회를 직시한 화가가 있었어요. 오토 딕스입니다. 겁내지 않고 내 앞에 놓인 현실을 바라봐야 진실을 알게 되겠지요. 오토 딕스가 그랬던 것처럼요. 그의 유일한 무기는 '눈'이었습니다. 어떤 단체에도 의지하지 않고 홀로 세계 전쟁에 맞섰습니다. 눈 뜨면 사방에 죽어나가는 사람을 봐야 했습니다.

곧, 같은 신세가 될 거라는 걸 알고 있었습니다. 사람들은 공포에 질려, 눈을 감으려 했습니다. 딕스는 똑바로 떴습니다. 그는 죽어서도 작품을 통해 말합니다.

'아픈 역사를 마주하라.'

우리의 눈을 억지로 벌립니다. 예술의 힘으로요. 총과 칼 앞에서 눈으로 맞선 오토 딕스. 국적이 다르고 다른 시대를 살아가고 있지만, 그의 외면하지 않은 용기를 오래도록 기억하겠습니다.

《고뇌의 원근법》에 나오는 미술품을 감상했습니다. 그림에 얽힌 사연도 공부했습니다. 나치 시대의 고통과 처절함에 공감했어요. 외면하고 싶었던 그림을 봤고요. 잔인한 현실을 끝까지 응시하고 시련을 담아낸 미술은 슬프도록 아름다웠습니다. 그들의 작품 앞에서 눈 돌리지 않겠습니다.

뭉크와 감성

예술은 감성이다. 예술이 설명이 필요하다면, 그건 더 이상 예술이 아니다. (르누아르)

2014년도 여름이었습니다. 친구 손에 이끌려 예술의 전당에 갔습니다.

"뭉크 전시회 보고 싶어. 이번에 놓치면 안 돼."

친구는 언제 또 한국에서 열릴지 모른다고 재촉했습니다.

"뭉크? 해골처럼 바짝 마른 사람이 입 벌리고 양손으로 얼굴 감싼 그림? 아니, 우울한 그림을 왜 돈 내고 보러 가는데?"

그때는 뭉크가 그림 이름인 줄 알았어요. 화가였습니다. '에드바르트 뭉크'의 대표작이 〈절규〉이고요. 뭉크는 정신병을 앓았습니다. 감성과 심리를 반영한 그림을 그렸어요. 불안에 사로잡힌 그림 속 인물이 자신의 모습일지도 모르겠어요.

지극히 현실주의자입니다. 영화 관람비보다 몇 배 비싼 3만 원을 주고 보러 간다는 게 이해 불가였어요. 가봐야 작품 볼 줄 모르니 돈 버리는 거였죠. 친구가 하도 보고 싶어 하니, 마지못해 따라나섰습니다.

'아무리 쳐다봐도 모르겠어. 왜 명작이냐고!'

'영화나 보러 갈 걸…'

그림을 보고 답을 찾으려 했어요. 아는 게 전혀 없는데 답안지를 채우려니 즐거울 리가 있나요. 뭉크의 감성의 버거워 어떻게든 내빼고 싶었습니다. 그땐 그랬습니다.

¶ 예술은 감성이다

뭉크와 다른 감성을 표현한 화가가 있어요. 프랑스의 인상파 화가 르누아르입니다. 뭉크가 절망과 불안을 고스란히 드러냈다면, 르누아르는 밝은 색감과 분위기를 냈어요. 여성과 아이들의 행복한 순간을 주로 담았습니다. '그림이란 즐겁고 유쾌해야 한다.'라는 말도 남겼죠. 안 그래도 세상살이 만만치 않은데, 그림까지 어두침침할 필요가 없다고 하면서요. 〈보트 파티에서의 오찬〉과 〈피아노 치는 소녀들〉을 보면 그의 마음이 전해집니다.

뭉크와 르누아르, 누구의 감성에 더 공감하시나요?

예술은 감성입니다. 예술을 어려워했던 이유를 알았어요. 설명을 들어야 납득이 갔거든요. 누가 저를 좋아하면, 왜 좋은데? 알아야 했어요. '그냥 좋아'라고 하면 믿지 못했죠. 르누아르는 예술을 보며 정답을 찾으려 했던 저에게 한 마디 합니다.

'머리 말고, 마음으로 느껴 봐.'

¶ 센스 앤 센서빌러티

MBTI 검사, 한 번쯤은 해보셨죠? 저는 ENTJ가 나왔어요. 특성을 보니, 제 성향이 맞았습니다. 예술 감성이 풍부하다고 느꼈던 리더 정상미 작가와 EJ 선배에게 MBTI 성향을 물었어요.

"MBTI 궁금해요. 예술 감성 닮고 싶어서요."

"우리 둘이 비슷할 건데… INFP."

EJ 선배도 "맞아요. INFP"라고 답했습니다.

두 사람에게 끌렸던 건 이유가 있었어요. 예술 감성을 품고 있는데 이성까지 갖추어서였습니다. 그녀들을 닮고 싶었던 거죠. 특히 표현력과 공감력을요. 작품을 보고 저는 '좋았어요', '별생각 없어요' 정도로 말했습니다. 제가 10자로 표현하면 그녀들은 100자로 디테일하게 표현할 줄 알았어요. 멤버들 글에 진심으로 공감해 주고요. 1년간 오픈 톡 방에서 예술 수다를 떨었어요. 두 사람의 예쁜 감성과 공감에 조금씩 물들어 갔죠. 감성이 푸딩처럼 부드럽고 말랑말랑해졌어요.

예술과 MBTI로 나와 상대를 알아갔습니다.

사람 성향을 16가지로 나누어 분석한 '16 Personalities' 사이트를 참고해 보면요.

ENTJ는 냉철한 이성을 지녔고, 원하는 것을 성취하기 위해 결단력과 날카로운 지적 능력을 활용합니다. 일을 효율적으로 처리하려고 감정을 배제합니다. 사업가가 될 가능성이 높고요. 공감 능력을 갖춘다면 인간관계와 일에서 모두 좋은 결과를 얻습니다.

INFP는 음악과 예술과 자연에 대한 감수성이 뛰어나고, 다른 사람의 감정을 빠르게 알아차린대요. 에너지와 열정이 넘칩니다. 창의적이고 상상력도 뛰어나고요. 예술과 문학을 통해 자기 생각을 드러냅니다. 열정, 친절, 아름다움을 퍼뜨리는 역할을 해요.

MBTI가 절대 기준이 될 수 없고 시기와 상황에 따라 성향은 바뀔 수 있을 텐데요. 사람에 대해 생각해 보고 소통하는 도구로써는 유익합니다. 정상미 작가와 EJ 선배와 같이 INFP 성향을 지닌 누군가를 만난다면, 예술과 문화 이야기로 이야기꽃을 피워봐도 좋겠지요?

네가 견뎠듯 나도 견딜게

'안 된다. 할 수 없다'는 말은 패배자의 변명일 뿐입니다. 믿음
은 긍정의 에너지를 만드는 동력입니다. '할 수 없다'가 '할 수 있
다'로 바뀌는 것은 찰나이지만 그 결과는 어마어마한 것입니다.

(석창우)

장애를 극복한 예술가 이야기에 용기를 얻습니다. 그들의 강인한
정신력과 실행력은 해이해진 마음을 다잡게 합니다. 고난을 핑계 삼
지 않고 작품의 재료로 활용했습니다. 그걸 보는 사람에게 희망을 주
었어요. 예술가도 이런 걸 바랐겠죠. 독자가 책을 읽고 공감과 위로
를 받는 것처럼요. 희망의 증거가 되어준 한국 예술가를 만나보세요.

¶ 유희강 : 추사 김정희 이후 최고의 서예가

검여 유희강 선생은 한국 근현대 서예의 거장입니다. 왕성하게 활동하던 중, 57세 때 뇌출혈을 겪습니다. 오른쪽 반신마비가 왔고, 오른팔을 쓸 수 없었어요. '글을 쓰는 것은 삶 자체라서 붓을 잡지 않으면 살 수 없다'라며 왼손으로 서예를 이어갔습니다. '좌수서(左手書)'라는 독창적인 서체를 확립했고, 한국 최고의 서예가가 되었습니다.

작품을 여러 편 보았는데요. 글자에서 강한 힘이 느껴졌어요. 용이 날아오르는 것처럼요. 왼손으로 썼다는 걸 믿을 수 없을 정도였습니다. 현대 서예사에 최고의 업적을 남겼습니다.

검여 유희강 선생의 작품을 만나고 싶으신가요? 그는 인천이 낳은 대표 예술가입니다. 인천시립박물관 제2대 관장(1954~1961년)을 지냈습니다. 이곳에 작품과 생전에 사용하던 벼루, 붓, 인장 등의 소품을 상시 전시할 예정입니다. 검암역 역사 내에도 볼 수 있고요. 아라뱃길 매화 동산에 가면, '검여 유희강선생 생가 마을'도 둘러보세요.

¶ 박대성 : 한국 수묵화의 대가

박대성 화백에게는 아픈 사연이 있습니다. 1949년, 경북 청도에서 한의사를 하던 아버지가 '반동 지주'로 지목되면서, 빨치산이 휘두른 낫에 부모를 잃었습니다. 네 살이었던 박대성 화백도 왼팔 팔꿈치 아래로 잘려 나갔습니다. 이런 시련이 있었는데도 독학으로 미술을 공부해서 현대 한국화를 대표하는 거장으로 우뚝 섰습니다.

2018년 남북정상회담 환담장에도 그의 작품이 있었고요. 국립현대미술관에 기증된 '이건희 컬렉션'에도 〈일출봉〉이 포함되어 있어요.

박 화백의 인품을 짐작할 수 있는 사건 하나 전해 드릴게요. 2021년 3월, '솔거 미술관 작품 훼손 사건'입니다. 박 화백의 전시를 보러 왔던 한 아이가 한 아이가 작품 위에 올라갔어요. 부모는 말리기는커녕 사진을 찍으며 방관했습니다. 현장 영상이 보도되면서, 부모에게 비난이 쏟아졌습니다.

"아이가 한 일이니 문제 삼을 수 없습니다." 박대성 화백이 사태 확산을 막았습니다. '훼손 역시 나름의 역사'라며 작품을 복구하지 않고 그대로 두었습니다. 거장다운 그의 인품, 닮고 싶습니다.

¶ 석창우 : 의수 화가

인터넷에서 사진 한 장을 봤습니다. 한참이나 눈을 떼지 못했어요. 의수 화가, 석창우 화백이었습니다. 그는 원래 전기기사였어요. 서른 무렵 22,900볼트에 감전되는 사고를 겪었습니다. 수술을 열두 차례 받았고, 두 팔 모두 팔꿈치 아랫부분까지 잘라냈습니다. 오른 발가락 2개 역시 절단했습니다.

예술과 거리가 멀었던 그는, 어떻게 화가가 되었을까요.
"아빠, 새 그림 그려줘."
네 살이었던 아들이 말했습니다. 그림 한 장 그려줄 수 없다고 말하고 싶지 않았어요. 쇠갈고리 손에 연필을 끼워 그림을 그렸습니다. 아들 동화책에 나와 있는 새 그림을 보고 따라 그렸습니다. 아내와 아들은 칭찬을 아끼지 않았습니다. 화가로서 재능을 발견한 계기였습니다. 동양의 서예와 서양의 크로키를 접목하여 수묵 크로키를 완성했습니다. 전 세계를 돌며 개인전을 열었고요. '불가능은 없다.' 석창우 화백이 보여줬습니다.

¶ 이희아 : 네 손가락 피아니스트

이희아는 '선천성 사지기형 1급 장애'를 가지고 있습니다. 양손에 손가락이 두 개씩 뿐이에요. 무릎 아래로는 다리가 없고요. 네 손가락으로 피아노를 쳐서 1993년에 전국 장애인예술대회에서 최우수상을 수상했습니다. 이것은 시작에 불과해요. 예술을 향한 순수한 열정으로, 국내외에서 연주회를 수차례 열었습니다.

이희아가 학생 시절에 쓴 일기입니다.

"제가 피아노를 연주하는 것은 누구와 경쟁하려는 것이 아니에요. 오직 할 수 있는 최선을 다해 인내하고 노력해 저를 사랑하는 모든 이들에게 음악을 통한 순수한 행복을 나눠드리고 싶기 때문이에요."

음악을 통해 행복을 느끼는 건, 예술인의 이런 바람이 작품에 스며들어서겠지요. SBS 방송 〈휴먼스토리 여자(女子)〉에서 이희아와 어머니 인터뷰를 봤습니다. 딸을 봐주기는커녕 혹독하게 훈련했습니다. 사회와 주위 사람들의 편견으로 벗어날 수 있게 하려고요. 어머니 역시, 이희아가 일기장에 썼던 것처럼, 음악으로 남들에게 행복을 주기를 바라고 있었습니다.

책과 예술은 공통점이 많습니다. 나보다 더 힘든 상황에서도 꿋꿋하게 앞날을 개척해 나간 작가와 예술가 이야기에 힘을 얻어요. 골치 아픈 문제에서 잠시 벗어나 위로받습니다. 책과 예술 작품을 본다고 당장 문제가 해결되진 않아요. 그렇지만, 지혜를 쌓게 도와줍니다.

애국자의 피가 흐르고 있었구나

세계적이려면 가장 민족적이어야 하지 않을까? 예술이란 강렬한 민족의 노래인 것 같다. (김환기)

"반 고흐는 아는데 왜 김환기는 모를까?"

《방구석 미술관 2 : 한국》들어가는 글의 첫 문장입니다. 예술 분야에서 가장 아끼는 책입니다. '가볍게 시작해서 볼수록 빠져드는 한국 현대미술' 부제목 그대로 빠져들었습니다.

일제 강점기에 조국을 지키려 했던 예술가 이야기에 잠 못 이뤘습니다. 총과 칼 대신 붓으로 일제에 대항했던 분들을 까맣게 모르고 살았습니다.

'왜 이제야 알았어. 고흐와 피카소보다 더 관심을 둬야 했는데….'

남의 나라 유명 화가 작품에는 눈을 반짝이면서 우리나라 예술가에게는 무관심했습니다. 그분들 덕분에 현재를 살아가면서도 말이죠.

일제 강점기에 태어나 6.25 전쟁을 겪고 자신만의 독창적인 예술을 완성한 한국미술 거장들이 있습니다. 이쾌대, 이응노, 유영국, 김환기, 박수근입니다. 다섯 명의 근현대 미술가는 작품에 조국의 현실을 반영했습니다.

¶ 이쾌대 : 한국 사실주의 대표 화가

'누구지? 이름 특이하네.'

월북 화가 '이쾌대'를 처음 안 것은 《고뇌의 원근법》 서문에서였습니다.

그는 1953년 한국전쟁 이후 월북했습니다. 국내에선 이름을 언급

하는 것조차 금기였습니다. 1988년 서울올림픽을 앞두고 일부 월북 작가들에 대한 해금 조치가 이뤄졌습니다. 그 뒤에야 이름이 알려지기 시작했고, 근대 미술의 거장으로 자리매김했습니다. 그의 작품엔 한국 근현대사의 아픔이 그대로 드러납니다. 앞서 소개한 오토 딕스의 그림처럼요. 1938년 작품 〈운명〉과 군상 시리즈를 보면, 식민지 상황에서 우리 조상의 생활상이 묻어납니다. 해방의 기쁨과 남과 북의 이념 대립이 존재했던 어지러운 시대, 조국과 가족을 위해 다시 일어서려 했던 이쾌대의 모습이 마음에 새겨졌습니다.

¶ 이응노 : 동양과 서양을 연결한 화가

서양화가로 시작했지만, 동양화를 알리는 데 힘썼습니다. 동양의 서예와 서양의 콜라주를 접목해서 〈인간추상(1963)〉을 남겼고요. 20세기 추상미술과 서예를 연결해서 〈문자추상(1977)〉을 완성했습니다. 월드 스타로 자리잡은 후에 한국으로 돌아왔을 때, 그를 맞이한 건 중앙정보부 요원이었습니다. 간첩으로 몰렸기 때문입니다. 귀국 전 한국전쟁 당시 행방불명된 아들의 편지를 받았습니다. 동베를린의 북한 대사관을 찾았는데 이 일로 간첩 낙인이 찍혔습니다.

2년 반 동안 수감생활을 하며 300여 점의 작품을 남겼습니다. 먹 대신 간장, 도화지 대신 화장지를 사용했습니다. 한국 땅을 밟는 것도 금지되어 1983년 프랑스로 귀화했습니다. 고국에서 자신의 작품 전시회가 열리던 그해 세상과 작별했습니다. 조국은 이응노 화백을 버렸지만, 그는 조국을 버리지 않았습니다. 1980년 광주 민주화운동 소식을 파리에서 들었습니다. 불의에 죽어간 수많은 사람의 넋을 달래려고 붓을 들었습니다. 조국의 현실에 가슴 아파하며 작품으로나마 지켜주고자 했던 이응노 화백의 애국, 가슴 절절합니다.

¶ 유영국 : 예술과 사업 모두 잡은 화가

예술가와 사업가는 왠지 어울리지 않아요. 유영국은 두 역할 모두를 해냈습니다. 일제 치하에서 자유로운 예술 활동이 불가능해지자 8년간의 일본 유학을 마치고 고향으로 돌아왔습니다. 그리고 어부가 됐습니다. 1947년 김환기의 연락으로 서울로 올라갔습니다.

추상 세계에 한국의 자연을 담기 시작합니다. 한국전쟁으로 폐허가 된 고향에서 가족들을 먹여 살리기 위해 양조 사업을 시작했습니다. 사업가 기질이 다분했던 그는 큰돈을 벌었죠. 한국 전쟁 후 다시 서울로 올라와 한국의 자연 중 '산'에 초점을 맞추기 시작했습니다. 여든넷에 완성한 〈Work〉를 마지막으로 붓을 들지 못했습니다. 가족의 생계를 위해 그림을 잠시 접고, 사업에 몰두한 모습이 특히 인상 깊었습니다. 이상과 현실 사이에서 균형을 잘 잡은 예술가입니다.

¶ 김환기 : 한국의 미를 그린 화가

달항아리, 132억, 김향안.

김환기와 함께 떠오르는 키워드입니다. 달을 닮은 둥그스름한 달항아리로 '조선의 미'를 표현했습니다. 조선백자에서 미학을 배웠다고 했을 만큼, 그에게 도자기가 갖는 의미는 큽니다. 옛날엔 백자가 집집마다 있을 정도로 흔했다고 해요. 평범함에서 아름다움을 발견한 거죠. 일상이 가장 소중하고 아름다운 것처럼요.

김환기는 한국에서 가장 비싼 화가입니다. 〈우주(Universe 05-IV-71 #200)〉가 2019년 크리스티 홍콩 경매에서 132억 원에 낙찰되었어요. 한국 미술품 중에서 첫 100억 원대 작품입니다. 현재까지 최고가입니다. 더욱 놀라운 것은요. 점을 찍어 완성한 점화라는 거예요.

작품만큼 시선을 끈 것은 아내, 김향안과의 사랑입니다. 일례로, 김환기가 프랑스 파리에서 작품 활동을 하고 싶어 했대요. 김향안은 파리에서 남편이 전시회를 열 수 있도록 혼자 먼저 출국에서 많은 화랑을 다녔습니다. 1955년에 말이에요. 김환기가 세상을 떠난 후에도 많은 사람이 그의 작품을 만나도록 국내외에서 전시를 열었습니다. 132억짜리 작품보다 두 사람의 삶이 더 빛나지요?

¶ 박수근 : 향토와 민중을 사랑한 화가

돈도 없고 배경도 없이 서양화를 독학한 순수 국내파 화가입니다. 스스로 터득했기에 오히려 독특한 화풍을 창조했습니다. 박수근 화백의 작품은 정겨워요. 묵묵히 자신의 삶을 살아가는 평범한 사람들을 애정 어린 눈길로 바라봤습니다. 그들의 삶을 가장 아름다운 것으로 생각해서 화폭에 담았습니다.

한국전쟁 발발로 이산가족이 됐다가, 2년 후 서울에서 재회했습니다. 가족을 지키려고 붓을 들었습니다. 돈이 필요해 그림을 시작했지만, 그리면서 깨달았습니다. '가족을 먹여 살리기 위해 매일 똑같은 노동을 하는 사람들이야말로 아름답다.' 겉보기에 보잘것없고 평범하지만 가장 위대하다는 걸 느꼈고 그림에 반영합니다. 애환이 담긴 서민의 모습을 따뜻한 시선으로 그린 〈아기를 업은 아이〉, 〈빨래터의 아낙들〉. 어딘가에서 익숙하게 봐온 작품이지만 화가의 이름은 알지 못했습니다. 이제는 똑똑히 압니다. 박수근이라는 이름을요.

¶ 국립중앙박물관에서 만난 백범일지

2023년 3월, '합스부르크 600년, 매혹의 걸작들' 전시회를 보러 국립중앙박물관에 갔습니다. 일찍 나섰지만 현장구매는 실패했죠. 다시 오기로 하고 특별전시실로 향했습니다. '외규장각 의궤, 그 고귀함의 의미'를 관람하며 100장 가까이 사진을 찍었어요. 딱 한 장만 간직하라면, 주저 없이 이 글을 찍은 사진입니다.

나는 우리나라가 세계에서 가장 아름다운 나라가 되기를 원한다. ⋯ 오직 한없이 가지고 싶은 것은 높은 문화의 힘이다. 문화의 힘은 우리 자신을 행복하게 하고, 나아가서 남에게 행복을 주기 때문이다. ⋯ 그래서 진정한 세계의 평화가 우리나라에서, 우리나라로 말미암아 세계에

실현되기를 원한다.

김구, 〈내가 원하는 우리나라〉, 《백범일지》, 1947.

'가슴이 벅차오른다'고 하죠. 김구 선생의 나라 사랑에 읽고 또 읽고 자리를 뜨지 못했어요. 혼란스러운 시대에도 문화의 힘을 강조했다는 점이 놀라웠고요. 합스부르크 전시회 보겠다고 새벽같이 나선 게 부끄러웠어요.

특별전시관을 먼저 찾았어야 했습니다. 국립중앙박물관을 나오며, '나라 사랑' 네 글자를 품고 왔습니다. 지금 우리가 살아가고 있는 건, 어려운 시절에 우리나라를 지켰던 분들 덕분입니다.

예술로 통하다

예술이 사람의 공감을 확대하지 않는다면 도덕적으로 아무런 일도 하지 않는 것이다. (조지 엘리엇)

공감. 좋아하는 단어입니다. 음악 서적 덕분에 예체능 학생의 상황과 기분을 이해하는 폭이 넓어졌습니다. 예체능 학생 학부모와 대화가 잘 통합니다. 손열음의 《하노버에서 온 음악 편지》, 박소현의 《클래식은 들리는 것보다 가까이 있습니다》를 읽으며 배경지식도 얻었지만요. 음악인의 중·고등학교 시절 얘기는 음악 하는 우리 학생들은 이해하는데 도움이 되었어요.

'현정이도 지금 대회 준비 중인데… 이런 마음이겠지.'

¶ 예술로 통하다

고등부 영어 모의고사 지문 읽기가 취미입니다. 교육학, 언어학, 수학, 심리학, 과학, 철학, 의학, 인문학, 역사 그리고 예술. 각 분야 배경지식이 나옵니다. 예술가가 자주 등장합니다. 악기의 역사도 나오고요. 예전에는 해석에 집중했습니다. 배경지식이 약했기 때문이죠. 지금은 '아는 척' 합니다.

"원장 선생님이 어떻게 그걸 아세요?"

"나도 해금 배우거든. 습기랑 온도에 민감해서 장마철엔 보관 케이스에 제습제 꼭 넣어줘야 해. 연주하기 전에 조율도 하고. 줄이 느슨하냐, 팽팽하냐에 따라 음색이 달라지거든. 송진도 며칠에 한 번씩 말총에 발라주고. 그래야 연주할 때 활대가 미끄러지지 않아. 가야금은 줄을 어떻게 조율하니? 해금보다 훨씬 크잖아. 학생이 직접 할 수 있어?"

해금 배운 지 1년도 안 되었는데, 10년 한 것처럼 말합니다.

"와~~~~~ 짱 멋지다!"

사랑받기 위해 악기를 다 배워볼까요? 예술은 우리 학생을 이해하고, 그들의 꿈을 응원하도록 도와줍니다. 예술 공부와 해금은 순전히 저를 위한 선택이었습니다. 그런데 제가 즐기자, 주변 사람에게 영향을 주기 시작했습니다. 학생에게 지문을 설명하거나 자료 만들 때, 느낌이 달라요. 해석만 하는 것과 경험과 배경지식까지 전달하는 것은요. 전자는 학생들 머리에만 입력됩니다. 시험치고 나면 잊어버릴 지식이죠. 스토리는 오래 기억합니다.

고등부 모의고사 독해 지문에 음악치료가 나왔습니다. 우울할 때는 신나는 음악을 들어야 한다고 생각했거든요? 차분한 음악은 우울한 기분에 부채질한다고 믿었죠. 반대였습니다! 기분이 처져 있는데 경쾌한 음악을 들으면 둘 사이에 갭이 커서 공감할 수 없대요. 감정 치료 없이 듣는 행위만 있는 거죠. 공감 받으면, 기분이 나아지는 효과를 준대요. 지금 감정과 비슷한 분위기의 음악을 듣는 게 오히려 위로받는다고 합니다.

예술은 수업 스타일에도 영향을 주었습니다. 일방적으로 지식을 전달하지 않고 상호 공감을 시도합니다.

"너희도 여기 지문대로 생각하니? 기분 안 좋을 때 어떤 음악 들어? 선생님은 우울할 때 경쾌한 음악 들었는데….

"저도 기분 별로면 밝은 음악 들어요. 반대로 해야 효과 있다니 신기해요."

"저는 지문대로요. 슬플 때 유튜브에서 슬픈 노래 찾아 막 울어요. 그러면 기분 풀려요."

학생과 소통 거리가 풍부해지고 있습니다.

음악으로 공감 능력이 좋아지면 호르몬에도 영향을 준다고 해요. 옥시토신은 사랑, 행복, 유대감을 느끼게 하는 호르몬입니다. 같이 노래 부르고, 악기 연주를 하면 옥시토신 분비를 늘려줍니다. 함께 하는 예술은 사랑, 행복, 공감 호르몬을 촉진해 준다니 안 할 이유 없지요. 수업 시간에 나만을 위한 예술이 모두를 위한 것이 되는 순간, 공감 전류가 흘렀습니다. 곁에 힘들어하는 사람이 있을 때, 이래라저래라 조언하는 대신 음악 선물을 합니다. 때론 말보다 음악이 공감과 위로를 줍니다.

예술가의 명언에서 삶의 태도를 배우다

인생에는 되감기 버튼이 없다. (백남준)

좋은 문장을 보면 포스트잇에 적어요. 책상, 냉장고, 옷장 등, 눈에 잘 띄는 곳에 붙입니다. 백 마디 말과 한 권의 책보다 때론 명언 한 문장이 사람을 움직입니다. 물건은 시간이 지나면 빛을 잃습니다. 명언은 오히려 여러 사람에게 전해질수록 빛을 내지요. 영향력 있는 예술가의 말은 작품과 함께 마음 깊이 닿습니다. 다음은 삶의 방식을 생각해 보게 하는 명언들입니다.

"그것이 무엇이든 푹 빠져서 할 수 있는 일을 하라." (로버트 헨리)

미국 화가이자 교사입니다. 1900년대 평범한 도시 생활과 서민들의 이미지를 주로 그렸습니다. 일상을 사진처럼 그대로 표현했습니다.

저는 열두 살부터 가족과 헤어져 살았어요. 뭐든 스스로 해야 해서 벅차기도 했지만, 불행하다고 생각하지 않았어요. 학원 경영이라는 천직은 결핍을 채워주고도 남았습니다. 24년째 푹 빠져서 하고 있고 70이 되어서도 할 거예요.

"우리 인생에서 삶과 예술에 의미를 주는 단 한 가지 색은 바로 사랑의 색이다." (마르크 샤갈)

샤갈은 프랑스의 초현실주의 화가입니다. 고등학교 영어 교과서에도 등장합니다. 색채의 마법사답게, 선명한 색감과 몽환적인 화풍을 그려냈습니다. 대표작으로는 〈도시 위에서〉, 〈에펠탑 위의 신랑신부〉, 〈파리 오페라 가르니에 천장화〉 등이 있습니다. 시대가 암울해도 거기에 휩쓸리지 않고, 밝은 면을 보려 했어요. 삶을 사랑과 희망의 색으로 칠했고요. 공포와 불안이 사라지기를 바라며 그렸습니다. 그래서일까요. 꿈결에서 본 듯한 샤갈의 그림을 보고 있으면 현실의 불안은 잊게 됩니다.

"진정한 예술가는 영감을 받는 사람이 아니라 다른 이들에게 영감을 주는 사람입니다." (살바도르 달리)

흘러내리는 시계. '달리'를 떠올리면 시계가 먼저 스칩니다. 20세기 가장 독창적인, 초현실주의, 천재, 괴짜 화가입니다. 달리는 상상력 넘치는 작품으로 세상을 다른 관점으로 보는 법을 알려 줍니다.

새로운 것을 대할 때 무기력에서 벗어납니다. 달리의 작품은 일상에 자극을 주기에 충분해요.

"미술에서는 다름이 중요하지 누가 더 나은가의 문제가 아니다. 다른 것을 맛보는 것이 예술이지, 일등을 매기는 것이 예술이 아니다." (백남준)

명언 옆에 이름에 없었어도, 백남준 이름 석 자를 떠올렸을 겁니다. 1998년 미국 클린턴 대통령과 관련된 일화를 읽고 그의 남다름을 알게 됐어요. 거동이 불편했던 탓에 일어난 해프닝으로 마무리되었는데요. 행위 예술가인 백남준이 클린턴 전 대통령을 풍자했다는 설도 있습니다.

인생에는 되감기 버튼이 없기 때문에 소신대로, 하고 싶은 걸 하고, 옳다고 믿는 것을 실천해 옮기며 살았던 걸까요. 한 번뿐인 인생, 남 눈치 보지 않고 원하는 삶을 살고 싶어요.

"기품을 지키되 사치하지 말고 자생을 갖추되 자랑하지 말자." (신사임당)

신사임당은 교양과 학문을 모두 갖췄습니다. 감수성 또한 풍부해서 예술가로서도 돋보였습니다. 그림과 글씨도 섬세하고 아름답습니다. 풀벌레와 포도, 화조, 어죽, 매화 등을 그리는 것을 즐겼습니다. 풀벌레 그림을 마당에 내놓았더니 닭이 와서 살아있는 벌레인 줄 알고 쪼았다고 해요. 얼마나 사실적으로 그렸을까요? 수백 전에 신사임당이 한 말은 현대에도 통합니다. 남에게 손 벌리지 않을 정도의 물질을 갖추되, 사치하고 싶지는 않고요. 자립할 수 있는 능력은 갖추되, 자랑하지 않으렵니다.

명언은 나침반입니다. 어디로 가야할지 모를 때, 가다가 길을 잃었을 때 명언을 읽어요. 먼저 경험한 사람이 남긴 말에는 답이 들어 있거든요. 이제 예술가의 말도 일상에 들어왔습니다. 더 튼튼하고 정확한 나침반이 생겼네요!

아이 필 프리티(I FEEL PRETTY)

이게 나예요. 나는 나로 사는 게 자랑스러워요. 영화 〈아이 필 프리티〉 중

어떤 영화 장르를 좋아하세요? 저는 로맨틱 코미디류를 즐겨 봐요. 마냥 가볍기만 한 건 별로고요. 생각거리를 던져주고 메시지가 명확한 게 좋아요. 두 가지 모두 만족하는 영화가 있습니다. 자기애와 자존감을 주제로 한 〈아이 필 프리티(I FEEL PRETTY)〉입니다. 긴장감은 무장 해제해도 될 만큼 유쾌하고요. 무엇보다 나를 사랑하게 돼요.

주인공 '르네'는 뉴욕에 살고 있는 미혼 여성입니다. 반지하 허름한 사무실에서 일하고 있어요. 뚱뚱한 그녀는 외모에 자신이 없습니다. 살 빼려고 스피닝을 시작하는데요. 의욕이 지나쳤습니다. 자전거 페달을 열정적으로 돌리다 균형을 잃어요. 자전거에서 떨어져 바닥에 머리를 부딪칩니다. 기절했죠. 깨어난 르네는 거울 보고

깜짝 놀라요. 외모가 완벽했거든요. 짐작되시죠? 뇌진탕 부작용입니다. 외모는 그대론데, 르네 눈에는 미스 아메리카입니다.

사고 후, 하늘을 찌를 정도로, 당당해집니다. 주저하던 르네는 어디 갔죠? 세상 모든 사람이 자신에게 호감이 있다고 착각해요. 주변 사람은 르네의 태도를 어이없어하면서도 당당함에 끌립니다. 남자친구도 생기고, 화장품 회사에 취직도 합니다. 뇌진탕 덕분에 르네의 인생은 술술 풀립니다. 그러던 어느 날, 다시 머리를 세게 부딪쳐요. 거울 속

에는 통통하고 못생긴 여자가 서 있습니다.

정신이 돌아온 후, 르네는 진짜 자아를 찾아요.

"뚱뚱하고 못생긴 건 똑같았어. 어떤 마음가짐을 갖고 행동하느냐에 따라 대우가 달라졌던 거야."

르네는 자신감은 외모에서 나온다고 믿었어요. 사고 이후, 진정한 자존감은 지금 그대로의 모습을 사랑하는 것에서 출발한다는 걸 깨달아요. 사고 전까지, 르네의 자존감을 빼앗아 간 것은 누구일까요? 르네 자신입니다. 자존감 도둑은 자기였어요!

"자신에 대한 확신이 없는 사람이 많아요. 부정적인 면에 집착해서 근사한 점을 놓쳐버리죠. 세상의 시선에 신경 쓰지 마세요."

르네가 말했습니다. 스스로를 사랑할 줄 아는 사람에게서는 빛이 난다고 하죠. 가짜 모습일지언정 자신을 너무나도 사랑하는 르네의 태도는 모두를 반하게 만들었습니다.

'모든 게 마음먹기에 달려있다.'

누구나 다 아는 메시지와 뻔한 스토리가, 영화라는 예술을 만나 시청자에게 강한 메시지를 전합니다.

'있는 그대로 너를 사랑해.'

존 맥스웰은 그의 저서 《존 맥스웰 리더의 조건》에서, 자존감을 높이려면 예술을 가까이하라고 권합니다. 그림을 보고 음악을 들으며 자존감을 탄탄히 할 수도 있겠고요. 〈아이 필 프리티〉같은 영화를 보는 것도 도움이 됩니다.

타인의 평가 얽매여 자신의 가치를 못 알아보고 있지는 않나요? 자신감 급속 충전이 필요한 분들에게 르네가 던진 메시지 들려드립니다.

우리가 소녀일 때는 세상 누구보다도 자신감이 넘치죠.

배가 나오든 엉덩이가 팬티를 먹던.

그런데 어느 순간부터 자신을 의심하게 돼요.

누군가 중요한 것들을 규정해 주고 그 울타리에서 자라죠.

그리고 수도 없이 자신을 의심하다가 결국은 자신감을 모두 잃어요.

그런 순간들을 허락하지 않았다면,

우리가 그것보다 강했다면 어땠을까요?

추억의 옥수수 하모니카

음악은 눈물과 추억에 가장 가까운 예술이다. (오스카 와일드)

"우리 아이⋯ 악기 하나는 잘 다뤘으면 좋겠어요."
"악기 배워두면 써먹을 데도 많고요."

자녀가 예술과 친해지기를 바라는 부모가 많습니다. 본인이 하지 못한 것을 해주고 싶어 하죠. 피아노는 기본이요. 바이올린, 플룻, 기타를 배우는 학생도 적지 않습니다. 악기 연습하는 꼬마 음악가를 보며, 어린 시절에 가지고 놀던(?) 정겨운 악기를 소환했습니다. 같이 추억에 젖어보실까요?

'이름이 뭐더라… 조개처럼 생겼고… 손에 쥐고 위, 아래 딱딱 부딪히며 소리 내는 조그만 거….'

캐… 캐스… 캐스츠… 조각조각 맞추다 검색에 의지해 드디어 만났습니다.

"캐스터네츠, 너 이름이 왜 이렇게 어렵냐!"

한마디 했습니다. 제일 좋아했던 악기인데 이름은 잊고 있었어요. 밤나무(chestnuts)가 주재료였대요. 발음이 비슷하죠?

주로 에스파냐와 이탈리에서 댄스리듬을 잡는 데 쓰이는 조개 모양의 타악기입니다. 상아 또는 단단한 나무로 만들며 악기의 양면을 부딪쳐 소리를 냅니다. 캐스터네츠는 밤을 뜻하는 '카스타니아' 라는 단어에서 유래되었습니다. [세계악기사전]

짝짜기라고도 했습니다. 짝~짝~ 짝!짝!짝! 짝!짝!짝!짝! 짝~짝~ 짝~ 이런 리듬으로 오므렸다 벌렸다 했습니다. 캐스터네츠를 좋아했던 이유는 몇 가지가 있었습니다.

첫째, 소리 낼 때 모양이 재밌어서입니다. 사람 입이 벌어졌다 다 물어질 때의 모양 같기도 해서 신기했습니다. 손 인형극에 나오는 입 삐뚤어진 인형처럼도 보였습니다.

둘째, 리코더는 밤에 불면 시끄럽다고 야단맞았습니다.

"피리 밤에 불면 뱀 나온다고!"

엄마가 야단칠수록 밤에 불고 싶었습니다. 나무로 만든 캐스터네츠는 소리가 요란하지 않아 언제든 가지고 놀 수 있었습니다.

셋째, 한 손에 쥘 수 있을 정도로 작습니다. 휴대가 간편합니다. 해금을 반려 악기로 삼았던 이유 중의 하나가 이동성 있습니다.

♩ 하모니카

이런 추억 있으세요? 옥수수를 가로로 들고 하모니카 부는 흉내를 냈었습니다. 저만 그런 건 아니었나 봐요. 옥수수를 하모니카로 비유해서 만든 동요가 있습니다. 홍난파가 작곡하고 윤석중이 작사했습니다.

우리 아기 불고 노는 하모니카는

옥수수를 가지고서 만들었어요.

옥수수 알 길게 두 줄 남겨 가지고

우리 아기 하모니카 불고 있어요.

도레미파솔라시도 소리가 안 나.

도미솔도 도솔미도 말로 하지요.

하모니카는 입술과 혀를 이용하여 들숨과 날숨으로 연주하는 관악기입니다. 호흡 조절을 못 하면 옥수수 하모니카처럼 소리가 안 납니다. 바람 새는 소리만 나지요. 손에 쥘 정도로 크기는 작지만, 아주 야무지고 악기로서 역할을 톡톡히 해냅니다.

초등학생 때야 가장 기본적인 사용법만 익히고 불었어요. 하모니카의 가치를 몰랐어요. 대부분의 관악기는 두 개 이상의 음을 동시에 소리내기가 매우 어렵다고 해요. 하모니카는 화음과 선율을 동시에 연주할 수 있어요. 클래식, 재즈, 블루스, 포크 등의 다양한 장르의 곡을 연주할 수 있고요. 오케스트라와 같은 그룹, 반주, 독주 악기로도 손색이 없습니다.

초등학교 4학년 때인가. 엄마가 우리 세 자매를 악기사에 데리고 갔습니다. 크리스마스 선물로 고급 하모니카를 사줬습니다. 제일 비싼 걸 세 개나 구입하니 악기사 사장님 얼굴은 싱글벙글했습니다. 하모니카를 천에 감싸서 안경집처럼 생긴 케이스에 넣었습니다.

딸 셋을 요조숙녀로 키우고 싶었던 엄마. 딸들에게 다양한 악기를 배우게 했던 엄마. 열두 살에 헤어진 엄마가 그립습니다.

♩ 리코더

"악기 다룰 수 있는 거 있어요?"
"리코더요."

악기 중에 가장(?) 만만한 리코더. 집마다 있었습니다. 리코더… 하면 제일 먼저 떠오르는 단어가 있습니다. 침… 입니다. 우아한 단어가 떠오르면 좋을 텐데요. 다시 생각해도 '침'입니다. 리코더 안에 들어간 침을 빼내려고 거꾸로 잡고 흔들었던 기억이 있습니다. 탈~탈~탈~ 털었죠.

글 쓰면서 만인의 악기였던 리코더가 언제부터 생겼는지 궁금했습니다. 역사를 좋아해서 '기원'에 관한 걸 즐겨 읽습니다. 영국에서는 헨리 4세 집권기에 편찬된 악기 목록에서 'Recordour'라는 단어가 있었습니다. 세익스피어의 《햄릿》에서도 리코더가 나올 정도로 대중화되었습니다. 뜻밖의 수확이었습니다. 리코더가 햄릿과 연결된다니요!

햄릿 대사에 등장한 리코더예요.

Hamlet	I don't really understand what you mean. Will you play this recorder?
Guildenstern	I can't, my lord.
Hamlet	Please.
Guildenstern	I'm serious. I can't.

헨델, 텔레만, 비발디. 세 작곡가의 공통점을 아시나요? 17세기 바로크 시대 작곡가이고, 리코더를 위한 곡들 여러 편 썼습니다. 유명 음악인들이 리코더용 곡을 썼다니, 리코더가 달리 보였습니다. 바흐도 브란덴부르크 협주곡 2번과 4번(Bach: Brandenburg Concerto No.4 in G major, BWV1049)에서 리코더를 독주 악기로 활용했습니다. 리코더는 현대 악기인 줄 알았습니다. 햄릿에 등장하고 바로크 시대의 유명 음악

가들이 사랑했다니, 흥미롭습니다.

리코더와 생김새가 비슷한 악기가 있죠. 플루트입니다. '리코더는 세로로 부는데, 플루트는 왜 가로로 불지?' 어릴 때 이런 생각을 했더랍니다. 리코더는 18세기 들어 '플루트'가 발전하면서 인기가 시들었습니다. 음량의 한계가 있어서였습니다. 고음을 내려하면, 삑~삑~ 소리 날 때가 많았죠. 거의 사라질 뻔했는데요.

다행히, 18세기 후반 들어 고(故)음악, 고(故)악기 연구가들이 리코더를 재조명했습니다. 이들의 노력이 아니었다면, 추억 하나 사라질 뻔했습니다. 리코더는 어린이용 악기이고, 역사가 짧을 거라 추측했어요. 바흐와 헨델도 사랑했던 역사 깊은 악기였습니다!

제5장

당신도 이미 예술가입니다

〈타이타닉〉과 〈빌리 엘리어트〉에서 본
탭댄스와 발레

두 발이 하는 일은 걷는 것이지만 두 발이 가진 취미는 춤추는 것이다. (애밋 캘랜트리)

〈빌리 엘리어트〉는 추천 영화 목록에 자주 등장합니다. 2001년 개봉작인데요. 2021년에야 봤습니다. 발레 이야기라서 끌리지 않았거든요. 20년이 지나서 호기심이 생겼죠. 뒤늦게 인생 영화가 됐지 뭐예요. 예전의 저처럼, 예술이 섞인 스토리라서 관심 없었던 분에게 적극 권합니다.

배경은 1980년대 중반 영국입니다. 11살 소년 빌리는 영국 북부

탄광촌에 살아요. 어려운 형편에도, 빌리 아버지는 복싱을 배우게 합니다. 빌리는 복싱을 하다가 발레 수업을 봅니다. 무언가에 이끌린 듯, 토슈즈를 신은 여학생들 뒤에서 동작을 따라 해요. 발레 선생님인 윌킨슨 부인은 빌리의 재능을 한눈에 알아보죠. 특별 수업을 해주고, 로얄 발레 학교 오디션을 권합니다. '남자는 무조건 복싱이야'를 외치는 아버지에게 발레는 얼토당토않죠. 발레는 '부자 부모를 둔 여자아이'가 하는 거였어요. 아버지 반대에도, 빌리는 포기 하지 않아요. 복싱 대신 발레 수업에 갑니다. 그러다 체육관에 불쑥 찾아온 아버지와 맞닥뜨립니다.

영화에는 두 가지 춤이 나와요. 탭댄스와 발레입니다. 발레는 상류계층, 탭댄스는 노동자 계층을 상징해요. 발레는 르네상스 시대 이탈리아의 궁정 연회에서 시작되었습니다. 루이 14세 때 프랑스 궁전에서 발전했습니다. 탭댄스는 영국 노동계급과 미국의 흑인 댄서가 즐겨 췄습니다. 출발부터 격이 달라도 너무 다르네요!

발레는 부상 방지를 위해 바닥에 견고한 공사를 합니다. 탭댄스는 집이나 술집에 깔린 나무 마룻바닥에서 발을 구릅니다. 가난해도 즐길 수 있는 춤이었습니다.

영화 〈타이타닉〉 보신 분들 많죠? 어떤 장면이 가장 기억에 남으세요? 배가 침몰하는 부분일까요? 제가 뽑은 베스트는 따로 있습니다. 생각만 해도 흥이 돋고 행복해지는 장면이에요.

타이타닉호에는 3등석 손님이 이용하는 술집이 따로 있었는데요. 나무 마룻바닥에서 발 구르며 탭댄스 추는 장면이 나옵니다. 1등석 VVIP인 여주인공 로즈는 처음엔 이런 분위기를 낯설어했지만 금세 그 순간을 온전히 즐깁니다. 발끝으로 서는 발레 동작을 취하다가, 신발을 벗어 던지고 함께 탭댄스를 춥니다. 발레는 로즈의 숨 막힌 일상을, 탭댄스는 자유를 나타내는 상징 같아요.

빌리도 영화 중간 중간에 발이 보이지 않을 정도로 정신 사나운 탭댄스를 춥니다. 빌리의 춤은 요상해요. 발레와 탭댄스를 합친, 어디에도 없는 춤입니다. 탭댄스처럼 발바닥을 구르면서, 어설프게 발레도 흉내 냅니다. 빌리에게 장르는 상관없었어요. 그때의 기분을 표현할 수 있으면 그만이죠. 로얄 발레 학교 심사위원 앞에서도 정체불명의 춤을 췄습니다. 그들이 당혹스러워하는 건 당연했습니다.

빌리표 댄스에 안성맞춤인 글이 있습니다.

"박자가 안 맞아도 상관없다. 리듬을 타지 못해도 상관없다. 내가 춤출 때 완전 바보 같아 보여도 상관없다. 이건 내 춤이며, 내 시간이다. 내 것이다. 나는 춤추리라. 나를 막으려 해 보라. 아마 너는 얼굴을 걷어차일지도 모른다." (댄 피어스)

탭댄스 추던 탄광촌 11세 빌리는 유명 발레단의 수석 발레리노가 됩니다. 아버지와 형은 까만 석탄을 뒤집어쓰지만, 빌리는 하얀 분칠을 하고 백조처럼 무대 위를 뛰어오릅니다. 상류층 관람객은 빌리에게 열광합니다.

두 영화를 처음 봤을 때는 전체 스토리에만 관심이 있었습니다. 발레와 탭댄스에 크게 주목하지 않았습니다. 예술과 점차 친해지자, 장면을 돋보기로 확대해서 자세히 보았어요. 발레는 상류층, 탭댄스는 서민층을 의미한다는 사실을 알았고요. 꿈이란 뭘까? 저와 대화도 해봤습니다.

소설 《달과 6펜스》에 빠지다

이 세상에 영원한 것은 없다. 그렇기에 영원하기를 원하는 것은 어리석은 것이다. 하지만, 더 어리석은 것은 자신이 가지고 있을 때 그것을 즐기지 못하는 것이다. (윌리엄 서머싯 몸)

'무슨 소린지 하나도 모르겠어!'

윌리엄 서머싯 몸의 《달과 6펜스》를 고등학교 때 처음 읽었습니다. 유명하다니 집어 들었는데요. 물음표가 둥둥 떠다녔어요. 20대에 다시 도전했습니다. 마지못해 이해하는 척했죠.

학창 시절에 읽은 소설을 다시 펼쳐보셨나요? 같은 책이라도 어느 연령대에 만나느냐에 따라 감상 포인트가 제각각입니다. 10대와 40대가 경험한 세상은 다르니까요. 2022년 봄, 《달과 6펜스》를 독서 모임 지정 도서로 오랜만에 만났습니다.

'그때는 이 부분이 왜 안 보였지?'

'지금 다시 보니 다르네.'

욕을 한 바가지 퍼부었던 주인공이 달리 보였습니다. 20년 더 세상을 경험하고 만났더니, 내 이야기였습니다.

주인공은 화가 찰스 스트릭랜드입니다. 원래 증권사 직원이었어요. 안정적인 직업과 아내와 자식이 있는 중산층 가장이었어요. 그런 그가 어느 날 갑자기 그림을 그리겠다며 가족과 직업을 버리고 집을 나갑니다. 뭔가에 홀린 것처럼요. 거리를 떠돌며 비참한 생활을 하던 그는 태평양의 외딴섬, 타히티로 갑니다. 그곳에서 그토록 바라던 그림을 원 없이 그려요. 가족을 버린 그에게 하늘이 벌을 내린 걸까요? 문둥병에 걸리고 맙니다. 장님이 된 채 마지막 그림을 완성하며 죽음을 맞습니다.

달과 6펜스는 폴 고갱을 모델로 삼은 소설로 알려져 있습니다. 몇 몇 비슷한 점이 있거든요. 고갱도 증권사 브로커였고요. 집을 나간 후 파나마 운하에서 공사장 인부로 일했습니다. 스트릭랜드는 마르세유에서 잡역부로 일했죠. 타히티에서 소설에 등장하는 '아타'를 닮은 혼혈 소녀와 함께 삽니다. 문둥병은 아니지만, 고갱도 심장병으로 건강이 나빠졌습니다. 〈우리는 어디서 왔는가? 우리는 무엇인가? 우리는 어디로 가는가?(1897)〉를 그리고 결국 심장마비로 사망했습니다.

기억을 되살려 보면요. 20대에는 스트릭랜드와 고갱이 닮았는지 아닌지에 관심을 가졌어요. 유명한 화가의 이야기를 소설화했다는 게 흥미로웠거든요. 지금은 시각이 바뀌었습니다. 두 사람을 굳이 비교하고 싶지 않아요. 가장으로서 스트릭랜드는 지금도 이해할 순 없어요. 그러나 한 남자, 한 화가로서는 납득이 가요.

몇 번이고 곱씹어 본 대사가 있습니다. 왜 이제 와서 이 장면이 끌리지요? 스트릭랜드처럼 나만 생각하며 떠나고 싶은 걸까요!

"아니, 돈 한 푼도 남기지 않고 어떻게 아내를 버릴 수 있죠?"

"그래선 안 된다는 법이라도 있소?"

"부인은 어떻게 살고요?"

"난 그 사람을 17년간 먹여 살려 왔소. 그러니 이제 자기도 혼자 힘으로 살아볼 수도 있잖아요?"

"아주 인정머리가 없군요."

"그런가 보오."

"세상 사람들이 아주 비열하다고 생각할 겁니다."

"그러라지요."

뭐 이런 인간이 다 있어?

처음 읽었을 때 스트릭랜드의 뻔뻔함에 할 말을 잃었습니다. '과연 나라면 이럴 수 있을까?'

그에게는 가족도 중요하지 않았습니다. 그림뿐이었죠. 모든 걸 모두 버리고서라도, 화가가 되고 싶었어요.

"나는 그림을 그려야 한다지 않소. 그러지 않고서는 못 배기겠단 말이요. 물에 빠진 사람에게 헤엄을 잘 치고 못 치고가 문제겠소? 우선 빠져나오는 게 중요하지. 그렇지 않으면 빠져 죽어요."

《달과 6펜스》는 질문을 던졌습니다.

"모든 걸 포기해도 좋을 만큼 강하게 원하는 게 있니?"

"한 번뿐인 인생, 어떻게 살아가고 싶어?"

한참이나 답이 나오지 않았습니다. 저는 책임감 갑입니다. 저만의 이익을 위해 타인과의 약속을 저버리지 못해요. 다만, 한 가지 분명해졌습니다. 고갱의 간절함처럼, 글쓰기는 멈추지 않으려고요. 첫 책을 쓰고 나서 글쓰기를 그만두려 했습니다. 체력 소모가 커서, 무리라고 생각했어요. 몇 달간 쓰지 않았죠. 행복하지 않았습니다. 고갱이 미지의 힘에 이끌려 그림을 그리지 않고는 살아갈 수 없었듯, 비슷한 경험을 했어요. 글 내림이 진짜 있나 봐요.

달과 6펜스는 어떤 의미일까요? 달은 '이상과 본능의 세계'입니다. 6펜스는 영국에서 가장 낮은 단위로 통용되던 은화입니다. 먹고 살기 위한 현실입니다. 사람은 6펜스의 세계에 사는데, 달의 세계를 동경합니다. 6펜스를 버리고 달로 떠나는 사람은 흔치 않습니다.

20년 전에는 《달과 6펜스》를 유명해서 읽었어요. 주인공의 상황과 감정에 공감하지 못했어요. 2022년에 만난 스트릭랜드는 낯설지 않았습니다. 그가 바로 저와 이웃들이 아닐까요. 밤 산책길에 달을 올려다봅니다. 달과 6펜스 사이에서 균형을 잘 잡으며 살아가려 합니다. 도통 무슨 말인지 몰랐던 고전, 다시 꺼내 읽으니 소울 메이트가 되었어요.

클래식, 이제 아는 척할 수 있다

음악은 사람의 복잡한 속마음을 따뜻이 어우러지게 한다. (정약용)

세상이 혼란스러우니, 음악이 필요하다고 강조한 학자가 있었습니다. 조선 후기 실학자, 다산 정약용입니다. 《악서고존(樂書孤存)》에서 이렇게 말했습니다. 우리나라의 음악이론, 성률(聲律), 악기 등의 기록을 고증한 악서입니다.

'음악이 사라지니 형벌이 가중되고, 전쟁이 자주 일어났으며, 원망이 일어났고, 사기가 성행하게 되었다. 성인이 거문고, 비파, 종, 북, 경쇠,

피리 등의 음을 만들어 아침저녁으로 귀와 마음속으로 들여보내 그 혈맥을 움직여 화평하고 즐거운 뜻을 고양한다. 사람을 가르치면서 반드시 음악으로 하는 것이 마땅하지 않겠는가?'

조선시대에도 음악 교육을 강조했습니다. 음악으로 내면을 다스려야 형벌과 전쟁이 줄어든다는 것을 증명했습니다. 《악서고존(樂書孤存)》의 내용을 요약해 보면요.

'마음과 행동이 모두 중요해서 어느 것도 소홀히 할 수 없습니다. 그렇지만, 내면이 먼저 바로 서야 효도, 우애, 화목이 결실을 맺습니다.'

다산 정약용 선생의 가르침에 따라 음악으로 내면을 어루만져 주어야겠지요?

복잡한 마음을 달래주는 음악? 클래식이 제격입니다!

¶ 그런데, 클래식 음악이 뭐죠?

영어 단어에서 'classic'은 '일류의, 최고 수준의, 전형적인, 대표적인'이라는 뜻을 가지고 있어요. 의미를 종합해 보니, '클래식은 어려워'라고 인식되는 게 무리는 아니겠다 싶어요.

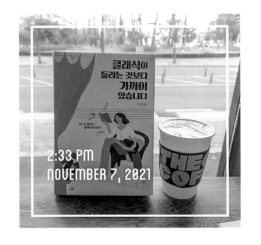

일단, 우리나라 것이 아니에요. 수준 높은 서양의 고전 음악이고요. 대중적이지도 않지요.

대중음악인 가요나 팝송은 길이가 4분 내외로 짧습니다. 가수의 퍼포먼스도 볼 만합니다. 가사도 있습니다. 길고, 화려한 춤도 없고, 음만 있는 클래식이 상대적으로 지루했습니다. 몸을 비틀며 들었습니다. 그 음악이 그 음악 같았습니다. 작곡가 이름, 곡의 탄생 배경, 제목은 어찌나 헷갈리는지요.

머릿속에서 마구 엉켜있던 클래식을 정리해 준 책이 두 권 있어요. 박소현이 쓴 《클래식이 들리는 것보다 가까이 있습니다》는 우리 주변에 있는 클래식을 소개해 주는데요. 곡 이름과 작곡가를 몰랐을 뿐, 음은 친숙했어요. 지하철 환승곡은 비발디 〈사계〉였고요, 너무나 유명한 드라마죠. 〈겨울연가〉에 나온 곡은 슈만의 '트로이메라이'입니다. 피아노곡 13개를 담은 앨범 〈어린이 정경〉의 일곱 번째 곡이예요.

모차르트도 빠질 수 없죠. 활명수 광고에 등장하는 곡이 〈밤의 여왕 아리아〉였습니다.

송사비가 쓴 《송사비의 클래식 음악 야화》에서 가장 기억에 남는 단어가 있어요. 3B입니다. 바흐, 브람스, 베토벤을 같이 부르는 말이래요. 활동했던 시기는 바로크, 낭만, 고전 시대로 각기 다르지만요. 세 사람에게는 두 가지 공통점이 있습니다. 눈치채셨죠? 이름에 모두 B가 들어 있어요. 독일인이고요. 3B 덕분에 클래식과의 거리가 1센티 가까워진 기분입니다.

¶ 기차 여행과 클래식

2022년 5월 말 부산행 KTX 안. 2시간 40분 내내 〈Beautiful Relaxing Piano〉를 들었습니다. 여행할 때 클래식을 찾은 건 처음입니다.

'여행과 클래식이 이렇게 찰떡궁합이었어?'

눈부시도록 화창한 날씨, 미끄러지듯 소리 없이 움직이는 기차 그리고 클래식. 세상 바랄 게 없었습니다. 음악이 아름다우면, 마음도 선해지나 봅니다. 누군가가 남긴 '몸이 아파 울적했는데 마음이 평화로워지네요.'라는 댓글에, '빠른 쾌유 바라요' '힘내세요'라는 댓글이 달려 있었습니다. 얼굴도 모르는 사람이 남긴 글, 그냥 지나칠 수도 있을 텐데요. 따뜻한 소통을 보고 저까지 기분이 좋았어요. 그 순간에 클래식을 어려워했던 이유를 알았어요. 마음으로 느끼기보다 누가 작곡했고, 제목은 무엇인지부터 알아야 한다고 생각했어요. 외우려 했죠. 고등학교 때 그랬던 것처럼요. 물론, 이런 과정도 필요해요. 전부가 되어서는 곤란하지만, 배경지식은 음악을 이해하는 데 도움이 되거든요.

기차여행에서 클래식의 가치를 경험했어요. '쉼'을 얻었습니다. 기분이 좋아지고 마음이 편안해졌습니다. 분석하지 않았더니 그제야 제게로 왔어요. 사람을 있는 그대로 받아들였더니 사이가 좋아진 것처럼요. 클래식도 그랬습니다.

일이 안 풀릴 때, 화가 날 때, 몸이 아플 때, 인간관계가 복잡할 때, 머릿속에 지진이 일어나면 클래식을 찾습니다.

저, 클래식 듣는 여자예요!

뮤지컬로 인생을 두 번 살다

우리가 하는 모든 예술은 견습에 불과하다. 위대한 예술이란 바로 우리의 인생이다. (M. C. 리처스)

뮤지컬은 종합 무대 예술입니다. 대부분 큰 무대에서 상연됩니다. 미국에서 발달한 현대 음악극의 한 형태인데요. 음악, 노래, 무용이 한 자리에 모였습니다. 뮤지컬과 연극은 영화보다 현장감 있습니다. 그림, 음악, 조각보다 역동적이고요. 《뮤지컬 탐독》을 쓴 박병성은 "뮤지컬은 현장에서 직감적으로 얻게 되는 관객들의 몸을 관통하는 에너지가 있다"라고 했습니다. 뮤지컬 배우는 연기는 기본이요, 춤과 노래까지 잘해야 하니 그야말로 만능 엔터테이너입니다.

개성 강한 세 편의 뮤지컬로 그 매력에 빠져보세요. 고전 뮤지컬의 향기를 지닌 〈시카고〉, 메가 뮤지컬 〈에비타〉, 2000년대 대형 뮤지컬 〈맘마미아!〉입니다.

¶ 시카고

배경은 1920년대 시카고입니다. 폭력과 살인이 빈번히 일어났습니다. 그 당시 유력 인물이 누구인 줄 아세요? 갱단 두목인 '알폰스 카포네'였습니다. 세상에! 마피아 조직 우두머리가 영향력 있는 사람이라니요. 분위기, 짐작되시지요? 영화로도 상영되었는데요. 끈적거리는 재즈 음악과 여배우들의 고혹적인 모습이 그려집니다.

주인공은 '벨마'입니다. 교도소에 수감된 유명한 죄수예요. 남편과 여동생을 죽인 혐의가 있습니다. 벌써 분위기가 심상치 않죠! 살벌한 벨마에게 경쟁자(?)가 생깁니다. 살해죄로 '록시'가 들어옵니다. 벨마와 막상막하인데요? 신입 주제에 오자마자 주목받습니다. 벨마는 유명세를 되찾으려고 안간힘을 씁니다. '인정받고 싶은 본능'은 교도소에서도 어쩌지 못하나 봅니다.

〈시카고〉는 특이해요. 밴드 연주자가 무대 중앙에 나와 있어요. 보통 무대 뒤나 가장자리에 있지요. 음악도 등장인물처럼 큰 역할을 한다는 걸 보여 주려는 걸까요? 영화나 드라마에서도 음악은 스토리에 재미와 긴장감을 더해 줍니다. 뮤지컬 노래는 '넘버'라는 명칭이 따로 있을 정도로 음악 비중이 커요. 재즈가 귓가에 맴도는 이유는, 주인공으로서 역할을 톡톡히 해냈기 때문이겠지요.

¶ 에비타

아르헨티나의 퍼스트레이디 에바 페론의 삶을 다뤘습니다. 실존 인물을 주인공으로 한 뮤지컬은 크게 히트치지 못했다고 하는데요.

〈에비타〉는 음악, 연출, 가사가 모두 완벽했습니다. 제작되기 전 흥미로운 비하인드 스토리가 있더군요. 마돈나가 주인공으로 캐스팅되었을 때, 아르헨티나 국민들이 격렬히 반대했대요. 왠지 어울리지 않는 이미지이긴 하죠.

하지만, 마돈나가 누굽니까! 역시나 변신의 귀재였습니다. 완벽하게 영부인 역할을 소화해 냈습니다.

〈에비타〉. 이름은 들어봤지만 구체적인 스토리는 몰랐습니다. 영화보다 더 영화 같은 삶을 살았던 인물이었어요. 에바는 가난한 농부의 사생아였어요. 음지에 있지 않고, 세상에 도전장을 내밀었습니다. 나이트클럽 댄서, 라디오 성우, 영화배우, 잡지 모델 등 다양한 일을 해요. 그러다 난민구제 모금 기관에서 장관이었던 '후안 페론'를 만나서 결혼합니다. 남편이 대통령으로 추대되면서, 에바도 영부인 자리에 올라요. 권력을 휘두르지 않고, 소외된 국민들을 위해 헌신했습니다. 이런 그녀에게 불행이 찾아옵니다. 암말기 진단을 받고, 33세에 세상을 떠납니다.

　그녀는 권력 있는 자에게는 엄격했대요. 가난한 사람을 위해 힘썼고요. 불우한 시절을 잊지 않고 소외된 사람을 도왔던 에바 페론. 뮤지컬에서 그녀는, 여전히 사랑받는 퍼스트레이디입니다.

　♬ **맘마미아!**

　뮤지컬 하면 가장 먼저 생각나는 작품입니다. 영화도 수십 번 봤습니다. 아바(ABBA) 음악이 한몫했습니다. 스웨덴 출신 아바는 10년간 활동하면서 정규 앨범을 여덟 장 발표했어요. 대부분 히트 쳤습니다.

　'맘마미아'는 이탈리아어로 '맙소사!' '세상에나!'래요. 놀랐을 때 나오는 감탄사입니다. 맘마미아 뒤에 느낌표(!)가 붙은 이유지요. 어쩌다 붙인 게 아니라, 중요한 의미가 있었어요.

미혼모인 도나에겐 결혼을 앞둔 딸, 소피가 있습니다. 소피를 임신할 무렵, 도나는 남자 세 명과 만났습니다. 아빠 후보가 세 명인 셈이죠. 소피가 그들을 초대하면서 벌어지는 해프닝이 주요 이야기입니다. 자유분방하게 젊은 날을 보낸 엄마와 보수적이고 안정적인 삶을 원하는 딸. 모녀 사이는 애증 관계라고 하죠. 마주 보면 다투고, 돌아서면 후회하고 애잔해하는 과정이 우리 삶과 다르지 않습니다.

연기자는 연기로 다른 사람의 삶을 삽니다. 저는 예술가의 삶과 그들의 작품을 들여다보며 타인의 인생을 만납니다. '다른 누군가가 되는 경험'은 사람을 가끔은 다시 태어나게 합니다.

예술을 만나기 전에는 '뮤지컬의 한 장면이 될 수 있는 일상'을 그냥 흘려보냈습니다. 이제는 1분 1초도 그냥 보내지 않습니다. 제 삶을 멋지게 그려볼 겁니다. 인생이라는 무대에 연출자도 예술가도 저니까요!

뤼얼리(really)의 변신

좋은 의사 소통은 블랙 커피만큼 자극적이고 각성효과도 뛰어나다. (앤 모로우 린드버그)

같은 단어라도 어떤 감정을 실어 말하느냐에 따라 느낌이 천차만별입니다. 예술을 만나기 전과 후에 말의 뉘앙스가 달라졌습니다. 책을 출간하며 말, 언어, 표현이라는 단어에 더 신경 쓰게 됐습니다. 책쓸 때도, 강연할 때도 필수니까요. 언어 예술이 무엇인지 제대로 느꼈던 강연이 있었습니다.

2013일 11월이었습니다. '케임브리지 데이' 강연에 참석하러 나섰습니다. 목적지는 숙명여자대학교였습니다. 세계적으로 저명한 영어학자, 영어교육전문가, 영어교재 집필진, 출판 관계자들이 한자리에 모였습니다. 12시에 강연이 시작되었습니다. 사회자가 10분간 오프닝 멘트를 했습니다. 12시 10분부터 세 명이 각각 50분씩 강의했습니다. 첫 번째 강연자는 Helen Sandiford 였습니다. 《Touchstone》 영어교재 저자였습니다. 전문 강연가도 아닌데 지금까지 만나고 들었던 강연 중에 최고였습니다. 블로그에 비공개로 이렇게 적어놨더군요.

"차분한 듯, 적재적소 유머와 웃음을 맘껏 선사해 주었다. 따라 하고 싶은 강연. 청중과 호흡, 간결 명확, 적절한 스피드, 귀에 쏙쏙, 만국 공용어 Really 하나로 청중을 사로잡다니."

PPT는 너무하다 싶을 정도로 간결했습니다. 흰 바탕에 검정이나 빨간 글씨 한두 개 정도. 50분 내내 몸짓과 말투가 요란하지 않았습니다. Really? 한 글자만 쓰인 PPT를 보며 200여 명의 참석자는 열광했습니다. 미사여구, 어려운 단어 하나 없이 Helen은 Really를 쓰는 다양한 상황을 보여 줬습니다. 시보다 심플한 강연에서 언어 예술을 느꼈습니다. 달랑 단어 하나가 여러 상황에서 쓰였습니다.

믿기지 않을 만큼 좋은 소식을 들었을 때, 뤼얼리!!!???

뭔가 꺼림칙하고 의심이 갈 때, 뤼...얼리...이...?

슬픈 소식을 들었을 때, 뤼얼리....

맞장 뜨고 싶을 때, 뤼...!얼...!리...!?

맞장구 칠 때, 뤼얼리~! 리얼리~!

부드러운 미소로 호감을 표시할 때, 뤼어얼리이~~?

가벼운 확인이 필요할 때, 뤼얼리?

Helen의 강연이 끝나고 20분 휴식 시간에 그녀를 찾아갔습니다. "I'm a big fan of yours!"라고 방긋 웃었습니다. 뤼어얼리이~~~? 리듬 타듯 부드럽게 환하게 웃어 주었습니다.

강연 최고 인기 단어는 Really였습니다. 영어 사전에는 '부사'라고 되어 있지만, 감탄사로 쓰여도 손색없었습니다. 예술처럼요! 저는 영어, 일어 그리고 언어를 전공했습니다. 예술을 만난 후, 언어를 더 사랑하게 되었어요. 희로애락의 감정과 창의성을 불어넣게 되었습니

다. 작가로서 자신감도 생겼습니다. 예술을 만난 글은, 독자에게 더
큰 감동을 줄 수 있으리라 생각합니다.

뤼얼리?
뤼얼리!

피카소, 당신 이름이
이렇게 긴 줄 몰랐어요

창조의 모든 행위는 파괴에서 시작된다. (피카소)

예술 에세이를 쓰면서 알게 되었어요. '피카소, 이름만 익숙했구
나! 제대로 아는 게 없었네!' 피카소에 관해서는, 작품보다 한 일화가
먼저 생각나요. 워낙 유명해서 여기저기서 많이 인용되죠. 혹시 모르
는 분을 위해 써볼게요.

¶ 피카소의 그림 값

파블로 피카소가 파리의 한 카페에 앉아 있었습니다. 아름다운 한

여인이 그에게 다가갔습니다.

"제 모습을 그려 주실 수 있으세요? 원하시는 대가를 치르겠습니다."

피카소는 몇 분 만에 여인의 모습을 스케치했습니다. 그러고 나서 요구했습니다.

"그림 값은 50만 프랑(약 8천만 원)입니다."

파블로 피카소(1881–1973)

여자는 소스라치게 놀라 항의했습니다.

"아니, 선생님! 그림 그리는 데 몇 분밖에 걸리지 않았잖아요? 50만 프랑이라니요?"

피카소의 대답이 예술이죠.

"천만에요. 나는 당신을 몇 분 만에 그리는 실력을 얻기까지 40년 노력했어요."

누군가 제 노력을 인정하지 않고 항의한다면, 써먹어 볼 참입니다.

¶ 알았지만, 몰랐던 피카소

피카소에 관해 몰랐거나, 잘못 알고 있었던 점을 써보려 해요.

첫째, 피카소의 본명이 이렇게나 길 줄이야. 저만 몰랐을까요? 다른 분들이 "나도 나도 몰랐어!"라고 해주시면 좋겠어요. 그래야 덜 부끄러울 것 같거든요. 프롤로그에서 예술 일자무식이라 일찌감치 고백했지만, 이런 것도 몰랐나 하는 독자도 있겠지요. 자, 피카소 풀네임 알려 드립니다. 호흡 길게~ 각오하고 읽어보세요!

'파블로 디에고 호세 프란시스코 데파울라 후안 네포무세노 마리아 데로스 레메디오스 시프리아노 데라산티시마 트리니다드 루이스 이 피카소'

길어도 너무 깁니다. 처음과 끝의 이름을 따서 파블로 피카소라고 부르는 거였어요. 조상의 성을 모두 붙여서 길어졌대요!

둘째, 국적에도 고정관념이 있는 걸까요. 프랑스인이라 굳게 믿었습니다. 스페인 출신이었습니다.

셋째, 생각보다 현대 인물이었습니다. 1881년 출생, 1973년 91세

매일이 소중해

예술일기 9. 피카소 작품 하나

 학원CEO 김위아 작가
2021. 6. 8. 11:54

↗ 통계   ⋮

출처: 티몬 구매싸이트

피카소 작품 중에서 독특하다 싶어서 골랐다.
회화와 조각을 합쳐 놓은...
평가액이 800억이 넘는다고 한다.
나무조각이 파손될지도 모르는 고위험군 작품이라서
더 높게 평가받는 것일수도 있다고...

피카소. 하면

 4 ⋯ 💬 4   ⬆

사망. 제가 태어나기도 전 인물이지만, 다른 유명 예술인들에 비해선 가까운 시대 화가였습니다.

넷째, 800억이 넘는 작품이 있다고요? 여인의 모습만 그린 건 아니었습니다.

제 시선을 사로잡은 작품은 따로 있었습니다. 회화와 조각을 합쳐 놓은 듯한 〈기타와 베스병(1913)〉입니다. 평가액이 800억이 넘습니다. 작은 망치, 톱, 나무 조각, 자, 알 수 없는 손 도구들이 놓여 있습니다. 회화와 조각이 어우러진 작품이에요. 나무 조각이 파손될지도 모르는 고위험군 작품이라서 더 높게 평가받는 것일 수도 있다고 합니다. 입체파인 피카소의 명성에 걸맞은 작품입니다.

시, 처음이세요?

시는 예술 중의 여왕이다. (토머스 스프래트)

답답했습니다. '시'를 떠올리면요. 예술 장르 중에 가장 강적이었죠. 말이 짧으니, 숨겨진 의미를 찾는 건 독자의 몫입니다. '왜 이렇게 썼지?'

지금도 어려운 건 마찬가지지만, 눈높이에 맞는 시는 이해하고 좋아해요. 이 책을 읽고부터요. 김이경의 《시 읽는 법》입니다. 2021년 10월에 처음 읽고 2022년도 1월에 또 읽었어요. '시와 처음 벗하려는 당신에게'라는 부제가 시에 대한 마음의 벽을 낮춰주었습니다. 시를 전혀 모르는 사람에게 시를 읽는 의미와 가치를 전합니다. 동·서양과 고

전·현대의 다양한 시를 소개해주면서요.

50번 넘게 읽은 시가 있습니다. 미국 시인 도리언 로의 〈모르는 사람을 위하여〉입니다. 국적은 달라도 시가 주는 감동은 만국 공통어인가 봅니다. 여러 분들도 같은 느낌인지 한 번 읽어보시겠어요?

아무리 크고 무거운 슬픔일지라도 우리는 견뎌 내게 되어 있다. (…)

그때 어린 소년이 내게 길을 가르쳐 준다.

아주 열심히

한 여자가 유리문을 잡고 끈기 있게 기다리고 있다.

내 헐거운 몸이 지나갈 수 있도록.

모르는 사람일 텐데도, 내 주변에서 하루 종일 이런 친절이 계속된다.(…)

한때는 저들도 겪은 적이 있었던 것이리라.

벼랑 끝에서 발을 떼고 싶은

세상 밖으로 몸을 내던지고 싶은 이 유혹.

비유법, 은유법도 없고, 어려운 단어도 없는, 상황 그대로를 쓴 시라서 이해하기 쉬웠어요.

시인은 죽고 싶을 만큼 힘들었는데, 모르는 사람들이 베푸는 친절에 감동하고 살아갈 힘을 얻습니다. 다른 사람도 나처럼, 포기하고 싶은 순간이 있었을 거라는 걸 알게 돼요. 그럼에도 타인에게 친절을 베풀며 살아가는 거죠. 내가 겪는 아픔, 슬픔, 기쁨, 이 세상 어디에선가 누군가 똑같이 겪고 있습니다. 직접 만나 공감과 위로를 주고받을 수는 없어요. 하지만, 우리에겐 시가 있습니다.

"세상의 속도에서 벗어나 나를 돌아보고 다른 세상을 느끼면 여유가 생기고 힘이 나지요. 시는 그런 거 같아요." (김이경)

¶ 〈일 포스티노〉와 파블로 네루다

《시 읽는 법》에서 시를 주제로 한 영화를 소개했어요. 소설 《네루다의 우편배달부》를 영화로 만든 〈일 포스티노〉입니다. 칠레의 시인

이자 사회주의 정치가 '파블로 네루다' 이야기예요. 20세기 최고의 시인으로, 1971년에 노벨문학상을 수상했어요. 13세에 신문에 산문시를 발표했고요. 17세부터는 문학잡지에 글을 쓰기 시작했습니다.

〈일 포스티노〉는 네루다와 우편배달부 마리오의 우정을 다뤘습니다. 네루다는 정치 탄압을 피해서 이탈리아의 작은 섬으로 옵니다. 그곳에서 시를 모르는 순박한 청년, 마리오가 네루다에게 편지를 배달합니다. 어부의 아들 마리오는 네루다와 친해지며 시에 빠집니다. 메타포(은유)를 통해 세상에 눈 떠가요. 시와 함께 성장하는 마리오, 눈부신 이탈리아 해안, 유머와 감동이 오가는 대화. 이런 것만 있으면 좋았을 텐데요. 결말은, 바라는 대로 흘러가지 않았어요. 정치 상황이 좋지 않았거든요. 마리오는 가상 인물입니다. 그런데도 오래도록 잊히지 않았어요. 짧은 시(詩)가, 긴 여운을 남기듯 그렇게요.

시, 처음이세요? 감동 있는 책과 영화로 먼저 만나보면 어떨까요. 시를 몰랐던 마리오가 우리에게 메타포를 들려줍니다.

예술 에세이를 쓰게 될 줄이야

사람은 오직 한 가지, 바로 자신의 경험으로 글을 쓴다. 모든 것은 경험의 마지막 한 방울을, 달건 쓰건, 얼마나 가차 없이 짜낼 수 있느냐에 달려 있다. (제임스 볼드윈)

2020년부터 매년 한 권씩 출간했습니다. 중1 때부터 작가가 되는 게 꿈이었어요. 아버지는 편지 쓰는 걸 좋아했습니다. 해외 출장이 길어지면, 우리 세 자매에게 편지를 자주 보냈어요. 한글을 모를 땐 엄마 옆에 찰싹 붙어서 엄마 입만 쳐다봤습니다.

"엄마, 아빠가 뭐래? 뭐라고 썼어? 언제 온대? 선물 뭐 가지고 온대? 나 안 보고 싶대?"

한글을 깨치고 나서는 아빠 편지를 제일 먼저 독차지했습니다. 한글을 쓸 수 있을 땐 삐뚤빼뚤한 글씨로 편지를 썼습니다. 엄마가 쓴 편지 끝에다, '아빠 사랑해' 글자를 그렸어요. 학년이 올라가면서 엄마 편지지 귀퉁이에서 독립했습니다. 나만의 편지지가 생겼어요. 작가는 본능이었습니다.

학부모에게 편지를 자주 보냈습니다. 5년 차 무렵까지 매달 A4 100장을 썼어요. 자녀의 학원 생활 모습, 실력 향상 정도, 학습 계획 등을 적었습니다. 스마트 폰이 없을 때라 사진 대신 글로 표현했습니다. 어린이날과 크리스마스에 학생들에게 일일이 손 편지를 써줬어요.

예술을 주제로 쓰고 싶다고 생각한 건 2022년 봄이었습니다. 글쓰기와 예술. 두 가지 콘텐츠가 이렇게 결합할 줄 몰랐습니다. 예술 공부한 지 1년 된 왕초보지만, 문 앞에서 망설이는 사람에게 경험담을 들려주고 싶었어요. 문 안으로 들어와 보니, 왜 이제야 알았나 후회되거든요.

예술가를 동경했습니다. 나와는 다른 부류의 사람들, 멋있어 보였습니다. 고독을 씹어 먹는 존재 같았어요. 담배를 물고 골똘히 도화지를 보는 모습, 미친 듯이 붓을 놀리는 모습, 손가락이 보이지 않을 정도로 피아노 치는 모습, 온 몸에 땀이 범벅이 돼서 춤추는 모습, 미간을 잔뜩 찡그리고 글을 쓰는 모습 등. 이런 것은 예술가의 본질이 아니었습니다.

베토벤은 뛰어난 음악가였지만, 청력을 잃은 후에도 불후의 명곡을 남겼습니다. 프리다 칼로는 전신 뼈가 부서지는 교통사고를 당하고도 그림을 그렸기에 멕시코를 넘어 전 세계인의 사랑을 받습니다. 예술가의 모습은 현재 우리와 다르지 않습니다. 그들이 고난을 극복하고 원하는 바를 이루었듯, 우리도 그럴 수 있습니다. 이런 사실을 예술 입문인들에게 알려주고 싶었습니다.

예술 에세이 쓰면서 알았습니다. 미운 오리 새끼가 사실은 백조라는 걸 알았을 때의 느낌이랄까요. 사업가도 종합 예술인이었습니다. 콘텐츠를 만들어 내고, 마케팅을 기획하니까요. 작가도 예술가였습니다. 창작의 고통을 즐기니까요. 제 삶이 예술이었는데, 멀리서 찾았지 뭐에요. 글쓰기와 예술 덕분에 또 다른 자아를 발견했습니다.

나는 방구석 아티스트입니다

실체를 모르면 다가가기 어렵습니다. 막상 부딪히면 생각보다 만만하죠. 예술도 그랬습니다. 오늘 하루를 뿌듯하게 보내고 싶었어요. 예술을 일상에 넣었습니다. 어떻게요? 이렇게요!

문화예술 독서 모임에 참여했습니다.

라벨의 〈볼레로〉를 찾아 들었어요.

예술 일기를 썼습니다.

아티스트 블로그를 구독했고요.

서점에 가면 예술 코너에 꼭 들렀습니다.

명화가 그려진 책갈피, 파우치, 마우스패드를 구입했어요.

위키아트와 구글 아트 앤 컬처에서 미술 작품을 감상했습니다.

시인 파블로 네루다를 알고 싶어서 칠레를 공부했고요.

경제 신문에 실린 〈다비드 자맹〉 전시회에 갔어요.

이런 과정을 보내면서, 예술이 어려웠던 근본적인 이유를 알게 됐습니다.

첫째, '예술은 이것이다'라는 고정관념이 있었어요.

둘째, '예술과 거리가 먼 사람'이라는 틀에 저를 가뒀어요.

셋째, 가만히 있어도 저절로 가까워질 줄 알았습니다.

모든 이유가 제 마인드와 태도에 달려 있었어요. 한편으론 다행이죠? 마음먹기에 따라, 얼마든 예술을 즐길 수 있다는 거잖아요.

무엇을 보고, 만지고, 듣던지 가치, 의미, 스토리를 주면 그것이 예술입니다. 사과를 먹기만 하면 과일이지만, 도화지에 그리면 예술이 되는 것처럼요. 아티스트의 작품이 아니라도 '아름다움'을 느끼면 어떤 대상이든 예술입니다. 미(美)의 기준도 사람마다 달라요. 기이하고 우울하고 못생겨도 아트입니다.

2014년에는 에드바르트 뭉크의 〈절규〉를 외면했어요. 지금은요. 찬찬히 바라봐요. 아직 온전히 이해할 수는 없지만요. 딱 요만큼은 보여요.

'그래. 우리가 꽃길만 걷는 건 아니지. 때론 고통스럽잖아. 왜 좋은 것만 보려고 해? 피할수록 더 힘들어지는 걸. 이겨내며 사는 게 인생이야. 부딪혀 봐! 살아갈 힘이 생길 거야.'

예술이 우리에게 주는 선물, 이런 게 아닐까요? 삶의 희로애락을 모두 보여주는 거요. 그리고 멈춰서 생각하게 하고요.

예술이 조금은 만만해졌습니다.
'나'를 사랑하게 되었습니다.

우리 함께, 방구석 아티스트 되어 볼까요?

참고도서

강은진(2020). 《예술의 쓸모》. 다산초당.

김이경(2019). 《시 읽는 법》. 유유.

나혜석 저, 구선아 편(2019). 《꽃의 파리행 》. 알비.

마스무라 다케시 저, 이현욱 역(2021년). 《예술은 어떻게 비즈니스의 무기가
　　되는가》. 더퀘스트.

박병성(2019). 《뮤지컬 탐독 》. 마인드빌딩.

박소현(2020). 《클래식이 들리는 것보다 가까이 있습니다》. 페이스메이커.

서경식 저, 박소현 역(2009). 《고뇌의 원근법》. 돌베개.

손열음(2015). 《하노버에서 온 음악 편지》. 중앙북스.

송사비(2021). 《송사비의 클래식 음악 야화》. 1458music.

안토니오 스카르메타 저, 우석균 역(2004). 《네루다의 우편배달부》. 민음사.

윌리엄 서머싯 몸 저, 송무 역(2000). 《달과 6펜스》. 민음사.

조원재(2018). 《방구석 미술관》. 블랙피쉬.

조원재(2020). 《방구석 미술관 2 : 한국》. 블랙피쉬.

참고 사이트 및 기사

나무위키

네이버 국어사전

네이버 지식백과

세계악기사전

구글 아트 앤 컬쳐(Google Arts & Culture)

위키아트(wikiart.org)

미디어인천신문 서예가 '검여 유희강' 작품 인천 온다 2023. 05. 03

SBS 방송 〈휴먼스토리 여자(女子)〉 127회 이희아 편

JTBC뉴스 [단독] '1억원 작품' 올라탄 아이들 … 영문 모른 아빠는 '찰칵'
    2021년 5월 6일

16 Personalities 무료 성격유형 검사

한국경제신문 천장에 예술 작품이 '둥둥'… 롯데백(百) 아트 마케팅 2021년
    12월 14일

나와 닮은 예술가는 누구일까? by 널 위한 문화예술 (answer.moaform.
    com)